Alles Gu

zum Geburtstag

wünschen Dir,

liebe Lucia,

Ute

+ Claus

17.8.1989

FALKEN
BÜCHEREI

Rainer Witt

Spezialitäten zwischen Schwalm und Odenwald

Die Speisen haben vermutlich einen sehr großen Einfluß auf den Zustand des Menschen, wie er jetzt ist.
Der Wein äußert seinen Einfluß mehr sichtbarlich, die Speisen tun es langsamer, aber vielleicht ebenso gewiß.
Wer weiß, ob wir nicht einer gut gekochten Suppe die Luftpumpe und einer schlechten den Krieg oft zu verdanken haben. Es verdiente dies einer genaueren Untersuchung.
Allein, wer weiß, ob nicht der Himmel damit große Endzwecke erreicht, Untertanen treu erhält, Regierungen ändert und freie Staaten macht, und ob nicht die Speisen das tun, was wir den Einfluß des Klimas nennen.

Georg Christoph Lichtenberg (1742–1799)

Inhalt

Vorwort 6
Unser Freund Luciano ... 7
»Magen-Trimm-dich« für Journalisten 9
Gebt dem Mann die Küche frei... 10
Das große Brandmeistermenü 11
Es steht eine Mühle... 13
Heiße Themen von der Feuerwehr 15
Vom Saurier, der eine Ente war... 18
Prominententreff am Mikrofon 20
Achtung Ü-Wagen, bitte melden! 21
Von der edlen Kunst des Schneidens 25
»Schmonzette« zum Schmunzeln 27
Das große Redaktionsmenü 28
Der schnelle Draht zum Funkhaus 33
Bertramstraße 8 36
Hessisch Gebabbel 37
Wir sind immer für Sie da! 39
Die Einsamkeit des Studioredakteurs 40
Nix im Sack – nix uffm Disch 43
Trau'n Sie sich! 47
Schon der Urahn hat recycelt 49
»Wohin treibt das Leck?« 52
Der eine schnallt's, der andre tickt's 54
Rat und Tat von HR-1 55
Erst die Hektik – dann die Sendung 56
Reporter fallen nicht vom Himmel 61
Einsatz vor Ort 62
Der Kampf mit dem hessischen Idiom 63
Objektiv soll's sein 66
»Wg. Abk.« 67
Wie die Forelle auf den Golfplatz kam 70
Heute gibt es Bandsalat 71
Moderation par terre 73
Gestatten: »Leihbusch« 75
Passiert – glossiert 77
Hauptsach', 's schmeckt! 78
Das große Hessen-Menü 80
Gut geplant ist halb gekocht 83
Der Tag der offenen Hand 86
Das waren noch Zeiten 87
Wer schafft, braucht Kraft 89
Der Ritter ohne Furcht und Tadel 90
Jetzt senden wir ein Foto... 92
Hörer klagen, Hörer fragen 93
Ohne Einsatz keine Story 94
Wie hätten Sie's denn gern? 98
Zwischen den Fronten 100
Das »Survival-Pack« 101
Spargel, Spargel, Spargel... 104
Erst mal wird der Take gecheckt! 108
Die Qual der Wahl 109
Der Landtag macht Ferien 110
»Schreib mal wieder« 115
Live und locker 117
Rezeptverzeichnis 119

Vorwort

»Rezeptbuch – ja«, diese vielhundertfache Ermunterung an die »Unterwegs-in-Hessen«-Redaktion (UiH) ist im Frankfurter Funkhaus nicht ohne Folgen geblieben.
Als wir mit dem Plan, ein Hessen-Essen-Büchlein zu machen, die ersten hausinternen Kontakte aufnahmen, hatten wir ein wenig Angst, daß dieses Projekt mit dem gelegentlich unausgeschriebenen Motto des Hessischen Rundfunks (HR) ad acta gelegt wird: »Das haben wir noch nie gemacht, da könnte ja jeder kommen …«
Doch weit gefehlt. Ansonsten gestrenge Herren nickten mit bedächtigem Interesse, ein echt hessischer Verleger bot seine Dienste an, mit dem Buch befaßte Abteilungen luden zu Konferenz und Disput ein, und schon ging's los.
»Wir machen«, das war unser interner Beschluß, »ein Büchlein, das einerseits fast vergessene Rezepte wieder ans Tageslicht bringen soll, andererseits packen wir in lockerer Form Informationen aus unserer Arbeit, aber auch Humoriges mit dazu.«
Durch die tatkräftige Mithilfe unzähliger Hörerinnen und Hörer haben wir es geschafft, originelle hessische Rezepte zusammentragen zu können, dafür Dank, vielen Dank.
Nur eines steht noch nicht fest: Ob der Sender den Probekochern der Redaktion wesentlich erweiterte Hosen und Hemden angesichts erheblicher Kalorienmengen finanziert oder ob dies als Berufsrisiko zu betrachten ist.
Tiefkühl- und Fertigprodukte, Sie werden es bemerken, haben wir weitgehend weggelassen. »Essen in Hessen« soll frisch wie die Sendung sein, in der die Idee entstand. Für vier Personen sind alle nun folgenden Rezepte angegeben, Ausnahmen sind vermerkt.

»En Gude« wünscht Ihnen

Rainer Witt

Unser Freund Luciano ...

Die Karikaturen in diesem Büchlein, das Ihnen die hessische Küche und Ihr hessisches Radio näherbringen soll, stammen, man lese und staune, von einem Italiener, von Luciano Boezio aus Gemona in Friaul.
Zu Hessen hat er mehrere Beziehungen. Zum einen hat er lange in Frankfurt als Kartograph gearbeitet, zum anderen stand er unserer Redaktion mit Rat, Tat und Übersetzertalent zur Seite, als die Sender der ARD, der Schweiz und Österreichs unter der Federführung des HR über die Erdbeben in seiner Heimat berichteten. Aus dieser Zusammenarbeit sind Freundschaften entstanden, die nun ins zehnte Jahr gehen.
Manche Fassade in Lucianos Heimat geht auf Geldspenden unserer Hörerinnen und Hörer zurück, die damals so großzügig unserem Aufruf gefolgt sind. Mit Luciano waren wir tagelang unterwegs in Notquartieren, in Zelten und Baracken, haben den Ältesten und Ärmsten durch seine Vermittlung für einige Zeit aus der Not helfen können.
Er selbst hat sein Haus beim Beben verloren, das in der Fremde verdiente Geld, der Lohn harter Gastarbeiterjahre, war mit einem Bebendonnerschlag vernichtet. Jetzt lebt Luciano mit Frau und Tochter in einem selbstgebauten Holzhaus, zur Zeit baut er um die erdbebensichere Konstruktion eine zweite aus Eisenbeton. Er ist ein vorsichtiger Mann.
In seiner Freizeit geht er in die Berge, sammelt Eßkastanien, fossile Muscheln – und bannt die Heimat mit akkuratem Federstrich aufs Zeichenpapier.
Kommen Gäste, und die kommen oft, gibt's selbstgemachten Rotwein, mal Merlot, mal Pinot. Frau Romana rührt dann eine gewaltige Polenta, einen Maisgrießbrei an, der, noch heiß, auf einem runden Brett mit einem Bindfaden in Portionen geschnitten und mit würziger Salami serviert wird. Als Luciano und wir den 190. Erdstoß in Friaul erlebt hatten, gaben wir das Zählen auf. Nach Not, Elend und Tränen ist aus Friaul wieder ein blühendes Land mit herzlicher Gastfreundschaft geworden.
Soviel zu Luciano, jetzt zu unserem ersten Rezept, das auch auf dem Umschlag zu sehen ist.

Kasseler mit Kartoffelpüree

Man nehme:

für das Kasseler:

1 große Zwiebel
1 Tomate
1 EL Butter
800 g Kasseler Rippenspeer
1 EL Mehl
150 g saure Sahne

für das Kartoffelpüree:

1 kg Kartoffeln
2 Tassen Milch
Salz
2 EL Butter

Die Zwiebel und die Tomate werden feingehackt. Die Butter in einem Bräter erhitzt, die Zwiebel- und Tomatenstückchen darin angedünstet und 1 Tasse Wasser dazugegeben.
Das Rippenspeer wird dann darin 1½ Stunden geschmort. Wenn die Flüssigkeit verdampft ist, etwas Wasser nachgießen. Am Ende der Schmorzeit kein Wasser mehr angießen. Anschließend wird das Kasseler bei stärkerer Hitze rundherum angebraten, herausgenommen und warmgestellt.

Der Bratenfond wird mit dem Mehl verrührt, etwas Wasser hinzugeben und die Soße aufgekocht. Dann passieren wir die Soße durch ein Sieb, schmecken sie mit Gewürzen ab und reichen sie zum Kasseler.
Während der Braten schmort, werden die Kartoffeln gewaschen und in wenig Wasser gargekocht, anschließend püriert oder durch eine Kartoffelpresse gedrückt.
Die Milch wird erwärmt, die Kartoffelmasse hineingegeben, gesalzen und die ganze Masse mit einem Schneebesen kräftig durchgeschlagen. Zum Schluß wird die Butter untergezogen.

Mein Tip

Als traditionelle Beilage wird Sauerkraut serviert, man kann diesem mit kleinen Apfelstückchen, Lorbeerblättern und Wacholderbeeren zusätzlichen Pfiff verleihen.
Statt dem Kartoffelpüree können Sie auch Kartoffelklöße, Petersilienkartoffeln oder Kroketten servieren.

»Magen-Trimm-dich« für Journalisten

Journalistinnen und Journalisten sind, die Bemerkung erscheint angebracht, was gutes Essen angeht, reichlich verwöhnt.

Wer die Presse einlädt, will im allgemeinen etwas von ihr. So hat sich, man muß schon sagen leider, bei vielen, die unsereinen zu sich bitten, die Vorstellung festgesetzt, daß ein Pressegespräch um 10 Uhr morgens mit Kaffee, Cognac, diversen Schnittchen und süßen Leckerbissen zu garnieren sei.

Nun mag jeder Medienmann samt Kollegin für sich selber entscheiden, ob er außer zum Stift auch zu Messer und Gabel greifen will, doch die Leute vom Rundfunk bewahrt meist die Sendezeit vor derlei Atzung. Denn gleich hinter die Berichterstattung haben magenfeindliche Programmacher die Sendezeit gestellt, die – im Gegensatz zu den manchmal knurrenden Mägen der Berichterstatter – unbedingt gefüllt werden muß.

Gaumenverlockungen finden auch in »Unterwegs in Hessen« statt. Uns erreichen zahllose Einladungen, denen wir entnehmen, daß das Referat dicht gefolgt vom kalten Buffet stattfindet oder der Minister »im Anschluß zu einem gemütlichen Beisammensein« bittet, doch die Devise heißt immer: »Erst senden, dann essen.« Letzteres findet abschließend im HR-Kasino statt.

Viele Reporterjahre bringen es mit sich, daß man einen Überblick gewinnt und weiß, was Essensqualität oder Quasselstrippenfütterung ist. Einmal im Jahr kommt unsereiner kaum um ein opulentes Magen-trimm-dich herum. Wenn die DLG, die Deutsche Landwirtschafts-Gesellschaft zur Prämiierung gesamtbundesrepublikanischer Konditorenerzeugnisse bittet, muß man ran an all die Sahnebaisers, Nußkipferln, Sachertorten und andere süße Verlockungen, die dann quasi den »Inhalt der Berichterstattung« ausmachen.

An solchen Tagen wird der »Stramme Max« im HR-Kasino ersatzlos gestrichen, mit 2 Spiegeleiern nennen wir ihn im Hausjargon übrigens »Stereo-Max«.

Doch zurück zur Eßdisziplin. Verwöhnt sind sie alle, die Tontechniker und Kameramänner, Bildredakteure und Zeitungsreporter, die Agenturkollegen und die Rundfunkmacher, und dies hat auch etwas mit Frankfurt zu tun.

Mein Tip

Zäher Schinken auf strammen Mäxen hat schon manchen zur Verzweiflung getrieben. Der HR-Kasinochef löst das Problem, indem er den »Max« mit kleingehacktem Schinken belegt.

Die Mainmetropole ist nicht nur Messe-, sondern auch Esse-Platz. Da wird nicht gekleckert bei Pressekonferenzen, sondern geklotzt. Mal innerhalb ehrwürdiger Frankfurter Mauern, mal vor den Toren, bei sogenannten »ersten Adressen«. Ob sich die stille Hoffnung der Einlader auf durch Abfütterungsmechanismen verbesserte, positivierte Berichterstattung dann auch tatsächlich erfüllt, sei dahingestellt. Die Journaille, wie sie sich selbst gern respektlos nennt, ist meist mit einem Saft, einem Wasser, am liebsten mit einer Tasse mit dampfendem Kaffee zufrieden.

Mein Tip

Sollten Sie je mit Journalisten zu tun haben, füttern Sie sie nur mit frischen Informationen. Volle Bäuche machen bekanntlich satt und träge.

Gebt dem Mann die Küche frei …

Mögen es angenommene oder abgelehnte Einladungen sein, die den Schreiber dieser Zeilen zum Kochen gebracht haben, es tut nichts zur Sache. Viel wichtiger, so meint der kochende Mann, ist die Diskriminierung maskuliner Küchenfeen durch die deutsche Schürzenindustrie. Wenn Sohn oder Vater zum Topf greift und sich das kleckerfeindliche Textil umbindet, macht sich oft Entsetzen breit.

Aus ungeklärten Gründen sind die »Herrenschürzen« mit Sprüchen wie »Heut kocht der Babba« oder »I am the Boss« verunziert, im günstigsten Fall zeigen die erbarmungslos knallblauen oder grünen Dinger eine grellbunte

Wurzelgemüsepalette, die in dieser Zusammenstellung jede Pfanne zum Platzen bringen würde. Daß die Schürzen noch um die 25 Mark herum kosten, sei am Rande vermerkt.
Überhaupt, das Thema »Mann in der Küche« ist ein bundesdeutsches Lehrstück. Wenn die Tapferen nach hartem Ringen mit dem Kartoffelmesser einen nackten Erdapfel im Erdbeerformat produziert haben, die Spaghetti weich wie Haferbrei am Topfboden festkleben oder das Rumpsteak paniert ist, fühlt sich ja doch Muttern wieder animiert, der Hausherr zieht sich zurück.
Kocht aber einer tatsächlich gut, quirlt er die Larifari-Traumcreme gekonnt und haut noch ein Eigelb in die Fertigbouillon, donnert oft Applaus durch Haus und Hof, dann ist der Mustermann geboren, der Traummann an sich, von dem Frau oder Freundin gerührt berichten: »Und den Abwasch besorgt er auch.«
Wahre Könner aber wirken meist in der Stille, würzen, ohne Reklame zu machen, auch mal Fleisch mit Lebkuchengewürz, wischen die Bratpfanne mit einem feuchten Tuch aus und lassen den Fettfilm drin – na ja, sie können's halt und schweigen.

Das große Brandmeistermenü

Riskanter als in der Stille der eigenen Küche ist dann schon die Radiokocherei, die wir Anno '81 zum ersten Mal kreiert haben. Richtig schön öffentlich, teils unter den kritischen Augen gestandener (vielleicht auch geschockter) Hauswirtschaftsmeisterinnen, mit Publikum, das über den Sender herbeigebeten wurde, also wirklich mit Risiko.
Es ist noch gar nicht so lange her, daß wir zu zweit rund 45 Mann bekocht haben, zwei tüchtige Schäler und Putzer sollen nicht unterschlagen werden.
Es galt, die neue Hobbyküche der Darmstädter Berufsfeuerwehr einzuweihen, streng observiert von einem privaten Kameramann, dem Dienststellenleiter und einem Polizeipräsidenten als offiziellem Dibbegucker. Die Zutaten rollten kilo- und kistenweise an, allein 6 Flaschen Wein gossen wir in die »Rheinische Eiersuppe« und auf der Feuerwache wurde schon mit vorgezogenem Feierabend spekuliert. Daß wir ausgerechnet auf reine Eierrezepte kamen, lag an unserer Neugierde und der Fragestel-

lung: »Wie langweilig wird ein Essen, das stark auf Eiern aufbaut?« Sicher, Ernährungswissenschaftler, die mit jeder Kalorie rechnen, hätten die Hände vor den Kopf geschlagen, doch keine Angst, zum berühmten schweren Brokken im Magen kam es nicht.

Sie können also das Menü oder Teile davon verzehren, vor allem müssen Sie ja nicht mit dem Risiko leben, daß es schon bei der Suppe heißt: »Achtung, Achtung, es rücken aus ...«
Unser Supereieressen kostet Sie übrigens weniger als 30 Mark.

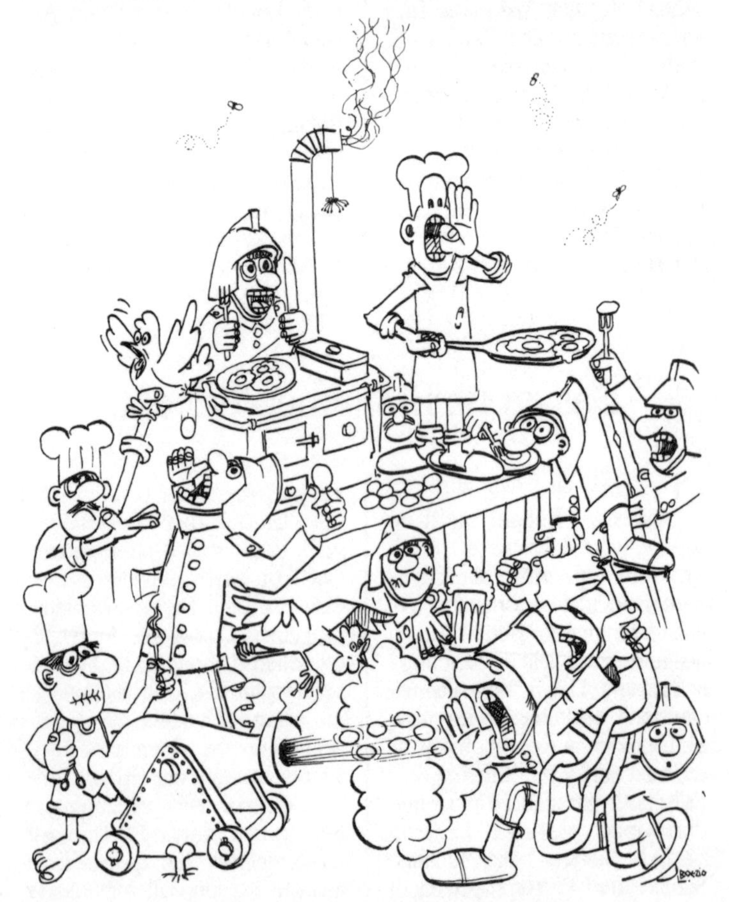

»Helm ab fürs große Eiermenü!«

Rheinische Eiersuppe

Man nehme:

50 g Butter
50 g Mehl
½ l Wasser
Salz
100 g Zucker
½ Zimtstange
1 Flasche trockenen Weißwein
3 frische Eier
etwas Zitronensaft

Die Butter wird erhitzt, das Mehl eingerührt und angeschwitzt.
Das Wasser wird zum Kochen gebracht, gesalzen, gezuckert und die Zimtstange hineingegeben. Das Wasser lassen wir etwas ziehen, dann geben wir es unter ständigem Rühren langsam zur Mehlschwitze.
Nun wird der Wein dazugegeben, dieser wird nur heiß gemacht, die Suppe darf aber nicht mehr kochen.
Die Eier werden mit dem Zitronensaft verquirlt, mit 1 Tasse Suppe kräftig verrührt und in die Suppe gegeben.

Mein Tip

Diese Suppe kann sowohl warm als auch kalt gegessen werden.

Es steht eine Mühle...

Bevor wir zum nächsten, ebenfalls sommerlichen Rezept kommen, mal eine typische Geschichte, die ein Indiz dafür ist, daß man in unserem Beruf manchmal mit wenig viel ausrichten kann, so viel, daß mehrere Tausend davon profitieren, vielleicht sogar spätere Generationen noch.
Bei einem Besuch in einer uralten Odenwälder Mühle hatte uns der greise Müller seine Ölmühle gezeigt, ein mächtiges Werk mit riesigen Mahlsteinen, die aus dem Raps das Öl preßten. Aus Kostengründen, so erzählte der Müller, habe es nicht mehr viel Sinn, weiterzumachen, die Mühle rentiere sich nicht mehr.
Monate später hatten wir im Ober-Ramstädter Heimatmuseum zu tun, dort erzählte man uns von einer Gruppe wackerer Nostalgiker, den Odenwälder Mühlenfreunden. Denen wieder-

um ward ein Bericht gewidmet. Bei den Recherchen dazu kam auch die Rede auf die alte Ölmühle, von deren Existenz die Mühlenfreunde zwar gehört hatten, aber nicht wußten, daß sie vor sich hindämmerte.
Wenn die Besucher des Hessenparkes in Neu-Anspach heute dort eine uralte Ölmühle besichtigen können, so ist es unsere aus dem Odenwald, die durch die Mühlenfreunde vermittelt wurde. Und wenn dies Büchlein mit einem Aphorismus des Herrn Lichtenberg beginnt, hat das auch damit zu tun. Otto Weber, der uns mit den Mühlenmännern in Ober-Ramstadt zusammenbrachte, ist nämlich auch in der Lichtenberg-Gesellschaft aktiv, auch über die haben wir schon im Rundfunk berichtet.
Klar, daß ein paar Seiten weiter ein Kartoffelrezept seiner Großmutter nicht fehlen darf. Ebenfalls klar, daß wir vor einiger Zeit die Mühle wiederbesucht haben, da kam frisches, selbstgebackenes Bauernbrot auf den Tisch. »Klar wie Kleeßbrieh«, so würde der Odenwälder sagen, daß uns die Bäuerin prompt das Rezept mitgegeben hat, es folgt weiter hinten.
Jetzt aber zurück zu den Eiergerichten, hier eine deftig-derbe Variante.

Eier in süß-saurer Specksoße

Man nehme:

100 g fetten Speck
1 Möhre
2 große Zwiebeln
1 EL Mehl
1 TL Paprika edelsüß
¼ l Fleischbrühe
4 TL klaren Honig
4–5 EL Essig
Salz
schwarzen Pfeffer
8 hartgekochte Eier

Der Speck wird feingewürfelt und in einem Stieltopf ausgebraten. Die Grieben werden herausgenommen und beiseite gestellt. Die geschälte und gewürfelte Möhre sowie die geschälten kleingehackten Zwiebeln werden unter ständigem Rühren im heißen Speckfett goldbraun gebraten.
Mit dem Mehl und dem Paprika bestäuben wir das Gemüse und rühren so lange, bis die Masse mit dem Fett durchmischt ist.
Die heiße Fleischbrühe wird dazugegossen und die Soße bei kleiner Hitze etwa 5 Minuten gekocht. Der Honig und der Essig wird hineingerührt, mit Salz und Pfeffer gewürzt.

In der Zwischenzeit werden die Eier gekocht, gepellt und in eine Schüssel gegeben. Die Soße wird um die Eier gegossen, die Grieben noch einmal kurz erhitzt und dazugegeben. Das Gericht können wir »solo« essen, gut passen aber auch Pellkartoffeln oder ein einfacher grüner Salat dazu.

Mein Tip

So gut Grieben schmecken mögen, oft stört das Fett. Da Ihnen auf den nächsten Seiten noch manches Rezept mit Speck und Dörrfleisch begegnet: Geben Sie allzu Fettes für ein paar Minuten auf Papierküchentücher.

Heiße Themen von der Feuerwehr

Daß der Austragungsort für das Brandmeistermenü ausgerechnet eine Feuerwache war, kommt nicht von ungefähr. Zu den zahlreichen Kontakten, die eine Redaktion auszubauen und zu pflegen hat, gehört eben auch die Feuerwehr. Schließlich ist sie Themenlieferant nach dem Motto »retten, helfen, löschen, bergen«.

Wie windig es beim Löschen zugehen kann, haben unsere Kollegen vom Übertragungsdienst bei dieser Kochübung erfahren können. Im Rettungskorb der DL-30, einer 30 Meter langen Leiter, ließen sie sich in die luftige Höhe hieven.

Ein leichter Wind von Osten kam auf und ließ die beiden samt beamteter Begleitung sachte in ihrem luftigen Balkon hin- und herschaukeln, die HR-Küchenmannschaft, zu diesem Zeitpunkt mit Schneebesen am Werk, grinste sich eins und war froh, den luftigen Leiterakt mit 50-Liter-Töpfen getauscht zu haben.

Die Feuerwehr liefert uns nicht nur Themen, die Sie dann auf der Welle HR-1 hören können, auch andere, die sonst verschwiegen werden, verraten wir hier einmal.

»Brennt Vierfamilienhaus in P.«, so gellte es vor einiger Zeit morgens um 3 Uhr einem verschlafenen Kollegen aus dem Telefon entgegen. Der griff sich Hemd, Hose, Tonbandgerät und was der eilige Mensch nächtens sonst noch braucht und fuhr die 10 Kilometer zum Brandort. Dort angekommen, stand der prächtige Barockbau in Flammen, alle Einwohner waren gerettet, die Feuerwehr aber kämpfte noch gegen die Flammen an. »Kommen Sie auf die andere Seite, hier ist's zu gefährlich«, bat der Einsatzleiter den Kollegen hinters Haus. Dort angekommen, sah der Beamte Flammen aus dem Dachstuhl züngeln, sprach »Komm' gleich wieder«, rannte um das Haus herum und gab Befehl, die C-Rohre etwas höher zu halten. In hohem Bogen schoß das Wasser aus den Rohren, traf die Flammennester – und einen Kollegen, der dann bei 10 Grad minus zitternd in Erfahrung brachte, wie doppelsinnig das Wörtchen »Eisbein« sein kann.
Vor geraumer Zeit, auch dies ist eine Feuerwehrepisode, wollte ein junger Kollege eine Reportage über die Frankfurter Berufsfeuerwehr machen, bekam dafür die Genehmigung von Ernst Achilles, Deutschlands bekanntestem Feuerwehrchef und dem einzigen mit Professortitel, und hielt sich in der Kommandozentrale auf. Prompt kam ein Einsatz, der Kollege griff sein Bandgerät und rannte auf den Hof der Hauptfeuerwache. Dort sah er das Rücklicht des letzten, ausrükkenden Löschwagens und stellte fest, daß was dran ist an dem Spruch: »Schnell wie die Feuerwehr.« Mit seinem Privatwagen hat er dann den Löschzug doch noch eingeholt, die Reportage konnte am nächsten Tag gesendet werden.
Eine ebenfalls erhellende Feuerwehrgeschichte brachte eine Kollegin mit in die Redaktion, die bei Nacht und klammer Kälte zu einem Großbrand kam.
Die Mannen der Feuerwehr konnten kaum löschen, weil der Frost so stark war, daß die Hydrantendeckel zugefroren waren – und Gefahr war im Verzug.
»Die haben«, erzählte sie am nächsten Morgen, »das ganz einfach gemacht. Ein Löschfahrzeug fuhr rückwärts an einen eingefrorenen Hydrantendeckel heran, der Beifahrer sprang heraus, hatte eine Art Blechdeckel in der Hand, der Fahrer gab Gas und der zweite Mann lenkte den Abgasstrahl auf den Hydranten; die Wärme hat ihn in knappen zwei Minuten aufgetaut.«
Es lag dann auf der Hand, hessische Kommunen zu fragen: »Was tun Sie vorbeugend gegen eingefrorene Hydrantendeckel?« Die noch nicht einmal mittelprächtigen Antworten flossen dann in eine Sendung ein, die si-

cherlich in mancher Amtsstube zu Aktivitäten geführt hat.
Und jetzt komplettieren wir das Brandmeistermenü.

Eiersalat à la Löschrohr

Man nehme:

1 Kopfsalat
1 Apfel
6 hartgekochte Eier
250 g Fleischwurst
3 EL Mayonnaise
1 Vollmilchjoghurt
Salz
Pfeffer
Paprika edelsüß
1 TL Essig
¼ TL Senf
1 Bund Petersilie
1 Tomate

Der Salat wird geputzt, gewaschen und mundgerecht portioniert. Der Apfel wird geschält und in kleine Stücke zerteilt. Die Eier und die Fleischwurst in Stücke geschnitten.

Die Zutaten werden gut gemischt.
Aus der Mayonnaise, dem Joghurt, etwas Salz, Pfeffer, Paprika, Essig und dem Senf wird ein Dressing gerührt.
Die Petersilie wird kleingeschnitten und mit dem Dressing unter den Salat gemischt.
Die Tomate wird in Scheiben geschnitten und der Salat damit garniert.

Mein Tip

Zu wissen, wie man ein Frischei erkennt, ist oft ein Rätsel für sich. Die Verbraucherberatungen im Hessenland haben Merkblätter erstellt, in denen dem Leser klar aufgezeigt wird, wie die Zahlencodierung auf Eierpackungen im Klartext gelesen werden kann.

Vom Saurier, der eine Ente war ...

Daß Reporterinnen und Reporter, das ist nicht allein rundfunktypisch, bei Nacht und Nebel rausmüssen, haben Sie gewußt oder geahnt. Daß aber hinter mancher Geschichte, die Sie von uns erfahren und die in dreieinhalb Minuten gesendet ist, auch bis zu 100 Stunden zähe Recherchierarbeit stecken können, weiß nicht jeder.

Oft fängt eine spannende Geschichte mit einem mehr als knappen Hinweis an. Mosaiksteinchen für Mosaiksteinchen schält sich dann im Laufe der Recherche langsam eine Form heraus. Telefonate werden geführt, Gesprächspartner und Informanten aufgesucht, die meist nur am Abend oder am Wochenende Zeit haben. Anschließend muß die Spreu vom Weizen getrennt, Experten müssen befragt, Juristen gehört, Mediziner konsultiert werden. Archivmaterial wird gesichtet, Literatur zwecks Einarbeitung studiert, manchmal ist's ein zähes Ringen und oft genug auch für die Katz. Dann nämlich, wenn sich ein anfänglich guter Tip bei genauer Untersuchung als Flop, als Ente, wie wir sagen, herausstellt.

Obwohl auch wir mal ganz gern und auch bewußt eine Ente produzieren. Beispielsweise die von Hessie, dem Ungetüm, das im Sommer vor drei Jahren aus der Badegrube »Prinz von Hessen« auftauchte. Diese Idee wurde ein Riesenerfolg, mit dem wir gar nicht gerechnet hatten.

Sie entstand in einer Redaktionskonferenz. Wie wär's, schlug ein Kollege vor, wenn anstelle der altbekannten schottischen »Nessie« die »Hessie« auftauchen würde? Sie tat's am nächsten Tag.

Am selben Abend wurde mit drei erwachsenen Laienschauspielern und zwei begabten Kindern eine »trockene«, also eine Aufnahme ohne Hintergrundgeräusche in einem Zimmer gemacht, alle fünf erzählten sichtlich erschüttert, wie sie Kontakt mit einer gigantischen Seeschlange gehabt hätten. Einer der Herren gab sich als Polizeikommissar aus und empfahl den Hörerinnen und Hörern, wegen der ohnehin verstopften Straßen doch bitte nicht mehr in den Wald hinter Darmstadt zu fahren, die Polizei lasse sowieso keinen mehr durch.

Am nächsten Morgen wurde die Aufnahme im Produktionsstudio abgemischt, zur Hilfe genommen wurden Bänder aus dem Schallarchiv.

»Erregt murmelnde Menge« hießen die Bänder, »Sirenensignal

nah«, eins hieß »Plätschern am See« und eines »Vögel im Wald«. Schon klang es nach höchst lebendiger Kulisse.

Thomas Koschwitz, des österreichischen Dialektes kundig, erklärte sich bereit, einen Innsbrukker Professor zu spielen – und schon fand der 1. April im Hochsommer statt. Die Folgen waren umwerfend.

Nachdem die »Augenzeugen« gesendet waren, »live« vom Ü-Wagen, nahm Koschwitz wissenschaftlich dazu Stellung: »Ich denke«, referierte er, «daß ein fossiles Ei in der Grube Messel durch die Hitze nachträglich ausgebrütet wurde, und daß das Seeungeheuer auf einem unterirdischen Wasserweg den Weg in die Badegrube gefunden hat.« Koschwitz komplettierte dann noch die Geschichte: »Ich bin gerade dabei, ein Expertenteam zusammenzustellen, wir reisen umgehend in Darmstadt zur Untersuchung an.«

Zehn Minuten später begehrte das hessische Innenministerium von uns zu wissen, woher wir die spannenden Informationen hätten, die Polizei in Darmstadt könne nichts zu dieser Geschichte sagen – der Anrufer wurde aufgeklärt.

Schlimmer erging es dem 1. Polizeihauptkommissar Wolfgang Berst in Darmstadt. Während wir in der »Enten-Sendung« einen Kommissar »Best« hatten reden lassen, saß Berst ahnungslos in einem Streifenwagen und stand bei Rot an einer Darmstädter Ampelkreuzung.

»Ei ich denk', Sie sin' in Messel«, rief ihm ein Autofahrer von nebenan zu, »ich hab sie g'rad im Radio gehört.« Was sich Berst dabei gedacht hat, soll hier nicht ausgeführt werden. Daß er doch noch zum Einsatz kam, lag an der ausgeprägten Neugier der Mitmenschen. Die Kunde vom Messeler Ungeheuer machte rasend schnell die Runde, gut 3 000 Menschen fuhren, joggten oder radelten an den vermeintlichen Entdeckungsort.

Sechs Stunden nach der Ausstrahlung des Beitrages mußte der Urheber der Idee selbst mit einem Ü-Wagen an den »Tatort« fahren, wo er, zu seinem gelinden Erstaunen, auf eine ganze Reihe von Zeitgenossen traf, die »es gesehen hatten«.

Den Schwank, der großes Presseecho hatte, nahm keiner übel. Besonders darüber gefreut hat sich der Besitzer des Kiosks an der Badegrube: »So en Umsatz hab' ich mei Läwe net gehabt.« Frustrierte Fotografen, herbeigeeilte Kamerateams umlagerten seinen Wagen und griffen, in Ermangelung einer knackigen Story, zum kühlen Flaschenbier. Hätte der Kiosk den Eier-Birnen-Toast aus dem Brandmeistermenü auf der Karte gehabt, der Umsatz wäre noch mehr gestiegen.

Eier-Birnen-Toast

Man nehme:

3 Birnen
40 g Butter
4 frische Eier
4 Scheiben Toastbrot
4 Scheiben mageren, rohen Schinken
Salz
schwarzen Pfeffer

Die Birnen werden geschält, längs und quer halbiert und in etwa der Hälfte der Butter gebraten, dabei gut gewendet. In einer zweiten Pfanne wird die restliche Butter gut erhitzt, die Eier werden hineingeschlagen und als Spiegeleier gebraten.
Die gerösteten Toastscheiben werden mit je drei Birnenvierteln belegt und mit einer Schinkenscheibe bedeckt. Das Ganze wird mit einem Spiegelei gekrönt, gesalzen und gepfeffert.
Der Toast kann mit Salat gereicht werden.

Prominententreff am Mikrofon

Kürzlich hat mal ein Kollege aufgelistet, was am Reporterberuf besonders viel Freude machen kann, nämlich die Treffen mit Prominenten. Eine solche, natürlich unvollständige Liste kann dann folgendermaßen aussehen:
Kaffee trinken mit Loki Schmidt und Diskussion über den Spargelanbau; Garderobeninterview mit Udo Jürgens, Reporter im Anzug, Star in der Unterhose; Mittagessen mit Inge Meysel; Diskussion mit Boleslaw Barlog; Empfang bei Kurt Waldheim; Interview mit Helmuth Kohl; zum Tee bei Valentin Falin; Plaudern mit Jacques Cousteau; Wochentour mit der dänischen Königin; Umtrunk mit Holger Börner.
Mit James Last ein Interview nach einem 4-Stunden-Auftritt; mit Eddie Constantine während der Dreharbeiten; Leisler-Kiep; Gerhard Rudolf Baum; Dieter Hildebrandt; Jockel Fuchs; Ingrid Meier-Matthäus; Annemarie Renger; 6 amerikanische Gouverneure; Jesco von Puttkamer; Franz Beckenbauer; André Heller; Georg Leber...
Wer nennt die Daten, zählt die Namen. Wir, die Interviewer, sind Masse und anonym für die befragten, für die abreisenden

und zurückkommenden, hochgelobten oder stark kritisierten Prominenten. Doch so manches gut aufgehobene Foto wird einen dermaleinst auf dem Altenteil schmunzeln lassen: »Mensch, weißte noch ...«
Bevor es nostalgisch-tränenrührig wird, noch ein Rezeptanhang zum Thema Ei:

Kräutereier

Man nehme:

4 hartgekochte Eier
8 EL Sahne
4 EL feingehackte Gartenkräuter
1 TL Essig
1 Prise Salz
Pfeffer
Zucker

Wir pellen das Ei und rühren den Dotter mit der Sahne glatt, das feingehackte Eiweiß wird mit den feingehackten Kräutern vermischt und beide Massen zusammengerührt.
Die Kräutereier werden mit Essig, Salz, Pfeffer und Zucker abgeschmeckt. Bleibt die Mischung über Nacht im Kühlschrank, sind die Kräuter besonders gut durchgezogen. Die Eier schmecken solo und auf Brot.

Achtung Ü-Wagen, bitte melden!

Wie eine Zeitung entsteht, ein Fernsehfilm gedreht wird, das ist fast allgemein bekannt. Aber – wie funktioniert das, wenn der »Funk« irgendwo »live« mit dabei ist?
Dazu brauchen wir, versteht sich, einen Ü-Wagen, und davon haben wir eine ganze Palette. Da wäre zuerst der Schnellst-Reportagewagen, wie ihn die Kollegen des Rhein-Main- und Südhessenjournals benutzen, einen wendigen PKW hessischer Bauart im klassischen HR-Blau. Er wird von Reporterin oder Reporter gefahren, die Sendeeinrichtung mit Bandeinspielmöglichkeit ebenfalls von ihr oder ihm für schnelle Fälle bedient.
Die nächste Stufe ist der Schnell-Reportagewagen, ein schwäbisches Fabrikat, trotzdem nur ein 3-Sitzer. Grund: Der Wagen ist mit einem starken Sender im Kühlschrankformat, einem Sendemast und einem Kofferraum voller Elektronik bepackt, mehr als drei Insassen läßt der TÜV nicht zu.

»Ü-Wagen, bitte melden!«

Am Steuer sitzt der Tonassistent, hinter ihm Reporterin oder Reporter, daneben der Toningenieur.
Das Fahrzeug verfügt über eine fest installierte sowie eine tragbare Bandmaschine, Funkgeräte, von Fall zu Fall einen tragbaren Sender, den man sich über die Schulter hängen kann, Mikrofone und Kopfhörer und jede Menge von Kabeln, um Mikrofone an den Ü-Wagen anschließen zu können.
Nun kommt, zumindest für Frankfurter, eine herbe Enttäuschung. Das, was viele Passanten für den HR-Hörfunk-Sendemast halten, ist die Empfangsantenne für die Ü-Wagen. Sie ist mit unserem Schaltraum gekoppelt. Meldet sich ein Ü-Wagen über Funk mit seinem Standort, findet mit der drehbaren Antenne eine

Funkpeilung statt, der Wagen wird »eingemessen« – oder an einen anderen Standort zwecks besserer Sendequalität verwiesen. Die solcherart aufgebaute Funkstrecke geht ohne Verzögerung von der Empfangsantenne zu unseren Sendemasten bei Friedberg und wird prompt ausgestrahlt.
Bei Großveranstaltungen setzen wir einen 3½-Tonner Ü-Wagen mit Stehhöhe ein, ein fahrbares Studio mit riesigem Schaltpult und drei Bandmaschinen.
Soll's noch ein bißchen Radio mehr sein, rückt das Radiomobil aus, ein riesiges, fahrbares Studio mit großem Anhänger, in den clevere Konstrukteure eine Bühne gesteckt haben. Hat das Radiomobil seinen endgültigen Standort, wird die Bühne regelrecht davorgehängt und dient als publikumsnahe Plattform für Bands, Moderatoren oder Reporter. Der »Hessentag« ist somit ein »Radiomobil-Tag« für uns.
Nach soviel Internem zurück zu Töpfen und Eiern:

Eierwein

Man nehme:

- 5 l Apfelwein
- 500 g Zucker
- 2 halbierte Vanilleschoten
- 4–5 Stangen Zimt
- 10 Eier

In einem großen Topf bringt man den Apfelwein mit dem Zucker und den Gewürzen zum Kochen, dabei muß gut umgerührt werden, damit sich der Zucker auflöst. Nach kurzem Aufkochen wird der Wein vom Feuer genommen, Vanille- und Zimtstangen entfernt.
Die Eier werden gut verquirlt und zuerst sehr langsam und tropfenweise, dann schneller zu dem Apfelwein gegeben. Dabei ständig, aber nicht zu schnell rühren, sonst gerinnt das Ei. Nach Geschmack nachzuckern.
Der Eierwein kann in Flaschen abgefüllt und auch kalt getrunken werden.

Mein Tip

Denken Sie bei allen Gerichten, die Alkoholika beinhalten, daran, daß viele unserer Mitmenschen alkoholkrank sind und manchem, der gerade »trocken« ist, versteckter Alkohol zum ungewollten Neueinstieg verhilft.

Jetzt haben wir Ihnen soviel über Ü-Wagen erzählt, also wollen wir es auch zu Ende bringen.

Da sitzt nun, wer auch immer, einer aus dem »Unterwegs-in-Hessen«-Team mit den Technikkollegen im Auto und wartet beispielsweise auf dem Rhein-Main-Flughafen auf die Rückkehr einer Maschine, deren Insassen als Augenzeugen für einen besonders interessanten Vorfall in einem anderen Land in Frage kommen. Natürlich rechnen auch andere Sender der ARD mit der Story, sie haben schon ihr Interesse angemeldet – nur: Die Maschine kommt nicht.
Dann heißt es stundenlang warten, immer wieder Kontakt zu Flughafendienststellen halten, anfragen, warten. Plötzlich ist es soweit, die Maschine ist im Landeanflug. Der Ü-Wagen, angekoppelt an eine Festleitung auf dem Flughafen, wird verlassen. Der Tonassistent bleibt als Telefondienst zurück. Verhandlungen mit dem Zoll, dem Grenzschutz, dann der lange Weg zum Gate, zu jenem Punkt, an dem die Passagiere erwartet werden.
»Grüß' Dich, ei wie« – Zeitungs- und Fernsehkollegen sind auch schon da. Dann kommen die ersten Passagiere. »Hessischer Rundfunk, do you speak german?«
Die Menschen sind froh, zu ihren Terminen, zu den Angehörigen zu kommen, wollen ihr Gepäck abholen. »Sorry, I'm in a hurry, nix Interview.«
Ein älterer Herr bleibt stehen, sagt: »Also, das war so.« Jeder will ihm am nächsten sein, die Fernsehkollegen brauchen gute Bilder, die Zeitungskollegen und wir gute Fakten und Töne.
Nein, da macht der Beruf keinen Spaß, wenn man andere belästigen muß, doch die Informationspflicht ruft, wir können es uns nicht leisten zu schweigen, wenn's am anderen Tag in der Zeitung steht, am Abend vielleicht schon über den Bildschirm flimmert.
Zwei, drei, vier Augenzeugen haben ausführlich berichtet, haben »äh« gesagt und »ja, also, ich meine, ach so, das war so« – im Reporterkopf bildet sich das Schnittmuster für das Band heraus.
Im Eilschritt zum Ü-Wagen, das Band wird im Laufen zurückgespult, rein in den Ü-Wagen.
»Der WDR«, sagt der Tonassistent, »will in 20 Minuten was haben, der NDR um 17 Uhr 30.«
Jetzt heißt es, das Band zu schneiden, eine Aufgabe für den Toningenieur auf engstem Raum. Die Stoppuhr läuft mit, Zwischentexte kommen auf den Stenoblock, die Regie aus Frankfurt ruft an: »Seid Ihr soweit, wann könnt ihr?«
Hektik, die nicht herauszuhören ist, Schweiß und Aufregung, die keinen Niederschlag auf der UKW-Frequenz finden. Gemessen an einem solchen Einsatz, denkt der Reporter, sind die Hörerinnen und Hörer mit den

Rundfunkgebühren dann eigentlich doch noch ganz gut bedient. Gut bedient waren auch die Vorfahren des in Sachen Lichtenberg schon erwähnten Otto Weber, bei denen Anno 1897 folgendes, original belassenes Rezept auf den Tisch des Hauses kam.

Kartoffelbällchen

Man nehme:

- 40 g Hefe
- 1 Tasse Milch
- 1 EL Mehl
- 2 Teller geriebene, gekochte Kartoffeln
- 2 Eier
- 3 EL Zucker
- 1 Pfund Mehl
- Salz
- Fett zum Fritieren

Die Hefe wird in der lauwarmen Milch aufgelöst und mit dem Mehl bestreut. Anschließend läßt man die Masse gären, bis sie Blasen wirft.
Dann nimmt man die restlichen Zutaten, mischt alles gut mit der Hefemilch und läßt die Masse nochmals gären. Danach werden mit einem Löffel große und kleine Bällchen abgestochen und im heißen Fett ausgebacken.

Von der edlen Kunst des Schneidens

Was Großmutter Weber das Abstechen, ist den Rundfunkleuten das Rausschneiden. Schon mancher auf Band Interviewte hat voller Stolz den Mitschnitt seiner Rede auf Kassette aufgenommen und den kühnen Fluß der Sprache der staunenden Verwandtschaft kundgetan. Wieviel »ähs«, auf einem 38er Band ist ein »gutes äh« fast fünf Zentimeter lang, eine geduldige Technik herausgeschnitten hat, bleibt der Öffentlichkeit verborgen.
Es ist ein alter Disput, ob das Schneiden legitim ist, denn schon mancher hat sich beschnitten gefühlt. Doch nehmen wir mal den typischen Standardsatz, der oft ein Fall für den Abfalleimer ist.
Da wird der Interviewpartner gefragt: »Wie stehen Sie zu dem Problem?« Antwort: »Ihre Frage, die ich für nicht unangebracht

halte, möchte ich wie folgt beantworten: ...«
Dieser »Leersatz« kostet uns fünf Sekunden Sendezeit bei normalem Redefluß, also halten wir es für legitim, die Rede, die keine Informationen enthält, zu Gunsten echter Informationen zu kürzen. Denn schließlich würden Sie es wohl auch kaum akzeptieren, wenn das nächste Rezept so beginnen würde:
»Wir kaufen eine Zwiebel im Laden und entnehmen durch eine Linksdrehung dem Hahn zum Kochen geeignetes Wasser...«
Das Schneiden also ist eine edle Kunst, die allerdings nicht erfunden wurde, um Wahrheiten auszulassen.
Es gab tatsächlich einmal einen Kollegen, der aus den gesamten und gesammelten »ähs« einer Reporterlaufbahn in Höhen und Tiefen das Deutschlandlied zusammengeklebt hat.
Erzählt wird auch die Geschichte vom Leihhengsthalter aus Bikkenbach, jener Gemeinde, die einmal jährlich zum »Dunkselessen« einlädt, hier das Rezept:

Bickenbacher Dunksel

Man nehme:

1 EL Öl
150 g Dörrfleisch
250 g Zwiebeln
100 g Roggenmehl
1 l Fleischbrühe
Pfeffer
Salz
1 Lorbeerblatt

Wir lassen das Öl bei mittlerer Hitze in einer Kasserolle heiß werden und braten das kleingeschnittene Dörrfleisch darin an. Die feingehackte Zwiebel wird ebenfalls dazugegeben und angedünstet.
Das Roggenmehl wird unter ständigem Rühren über die Zwiebel-Dörrfleisch-Mischung gegeben und angeschwitzt. Dann gießen wir das Wasser und Fleischbrühe unter ständigem Rühren an. Dann wird das Bikkenbacher Dunksel mit Salz und Pfeffer gewürzt und das Lorbeerblatt dazugegeben.
Das Dunksel lassen wir bei guter Hitze etwa 30 Minuten ziehen und servieren es mit Pellkartoffeln, Leber- oder Blutwurst.
Dazu schmeckt nicht nur Bickenbachern ein kühles Bier.

Mein Tip

Bei ihrem Dunkselessen laden die Bickenbacher teils Hunderte von Gästen ein. Das »Dunksel« läßt sich also auch hervorragend für eine größere Gästeschar zubereiten.

»Schmonzette« zum Schmunzeln

Walter Schemel, Bürgermeister von Bickenbach, hat uns beim Dunkselessen diese Geschichte erzählt.
Seit Jahr und Tag gibt es in hessischen Kommunen sogenannte Leihhengsthalter, gestandene Männer, die Hengste vom Dillenburger Landesgestüt bei sich unterstellen und ein Auge darauf haben, daß die Hengste auch der Minne, der Paarung mit den Stuten, nachkommen.
»Als unser Leihhengsthalter«, erzählte Schemel, »viele Jahre lang aktiv war, hab' ich mir gedacht, da wär' mal eine Ehrung angebracht.«
Also schrieb der Bürgermeister kraft seines Amtes an das hessische Landwirtschaftsministerium und bat um die entsprechende Ehrung des Leihhengsthalters.
Die ministerielle Antwort kam prompt: Schemel möge sich doch bitte an den Herrn Kultusminister wenden – und im übrigen erlaube man sich den Hinweis, daß es sich wohl nicht um einen Leihhengsthalter, sondern sicherlich um einen Laiengestalter handele.
Daß Schemels Erzählung zur Unterwegs-in-Hessen-Schmunzelgeschichte geriet, liegt auf der Hand. Aber Moderatorin/Moderator haben sich auch schon über andere Meldungen, hoffentlich mitsamt der Hörerschaft, gefreut, dazu paßt diese Polizeimeldung gut:
»In der vergangenen Nacht gegen 01.35 Uhr läutete ein noch unbekannter Mann in der E-Straße in D. an der Wohnungstür des Ehepaares X.
Herr X. verließ sein Bett und öffnete die Tür, worauf der Unbekannte grußlos an ihm vorüberschritt, das Schlafzimmer der Eheleute aufsuchte und neben Frau X. im Bett Platz nahm.
Darauf begann er sofort laut zu schnarchen. Erst nach dem massiven Protest der Wohnungsinhaber verließ er Bett und Wohnung und flüchtete. Die Fahndung blieb bislang ohne Erfolg.«

Das große Redaktionsmenü

Kommen wir von dieser heißen Geschichte zurück zur warmen Küche. Egal wer kocht, Frau oder Mann, beide werden oft und gern nach ihren Lieblingsgerichten gefragt. Sollten Sie mich fragen, wäre zu nennen:
Heiße, deftige Kartoffelsuppe mit frischem Zwetschgenkuchen. Manchem, der davon hört, zieht sich krampfhaft der Magen zusammen, doch dem Vernehmen nach hat die Großtante des Autors selbiges Gericht vor Jahrzehnten dem Frankfurter Bankier Rothschild im Verlaufe ihrer Köchinnenlaufbahn gleich mehrfach aufgetischt, ohne daß es Probleme gab.

Über heiße Erdbeeren mit Himbeereis und grünem Pfeffer ließe sich reden, über Polenta mit Béchamelsoße, Lauchcreme- oder Sauerampfersuppe, Hasenrücken in Spätburgunder oder das große Nudelmenü, wie es von einem kleinen Italiener in der Zürcher Altstadt 8gängig serviert und zelebriert wird – doch dies alles wäre nicht »Essen in Hessen«. Lassen Sie uns deshalb das große Sekretärinnen-Abendmahl vortragen, es würde und wird wohl auch Ihnen schmekken.

Vier liebreizende Damen sind die Seelen des Zeitfunks mit seinen drei fast täglichen Magazinen, vier enorme Tipperinnen, Meisterinnen in der Kunst des schnellen Herbeizauberns von Ferngesprächen nach Kuala Lumpur oder Etzen-Gesäß, Freigericht oder Shanghai.

Mit den stets unwahrscheinlich gut gelaunten acht »Redakteusen« und Redakteuren, den zehn Reporterinnen und Reportern müssen unsere Sekretariatsdamen auskommen, umfangreichen Schriftverkehr erledigen, dafür sorgen, daß Musiker ihre GEMA-Tantieme erhalten, die Fahrpläne perfekt erstellt sind, die Kommunikation innerhalb und außerhalb des Hauses funktioniert.

Zwischendrin müssen unsere Damen der großen Zahl anrufender Hörerinnen und Hörer Auskunft geben, und auch da wird's ihnen nicht immer leicht gemacht.

Ein klassischer Höreranruf sieht so aus:
Herr X. aus Y. bittet höflich um die Adresse des Professors, der entweder letzten Mittwoch oder vorletzten Freitag zwischen 10 und 11 Uhr oder zwischen 13 und 14 Uhr darüber referiert hat, daß Benzpyrene beim Grillen freigesetzt werden können, vorausgesetzt man würde…

Und um eben dieses »man würde« geht es nun. Nicht auszuschließen, mag dann Herr X. aus Y. sagen, daß der Professor auch Benz hieß und aus Bühren stamme, es sei auf jeden Fall, so habe der Schwager des Hörers von einem Bekannten erfahren, um Grillen bei Westwind gegangen, es könne sich aber auch um Restwind und Zwillen gehandelt haben.

Wie auch immer: Unsere Damen erledigen auch derart knifflige Rätsel mit Charme, der allerdings stark reduziert wird, passiert dem

Mann am Herd ist Goldes wert!

UiH-Moderator folgendes: »Bitte schicken Sie uns einen Freiumschlag mit Rückadresse, der mit 80 Pfennig frankiert sein soll.«
So hieß es vor einiger Zeit, klang ja auch gut. Nur: der Freiumschlag hätte das Format DIN A4 haben müssen, denn er galt dem Versand umfangreicher Rezepte. Was kam, das waren normale Briefumschläge, über 1 300 Adressen mußten neu getippt werden.
Was Wunder, daß der Sünder dann zum großen Hessen-Essen einlädt, die Damen zu sich nach Hause bittet und folgende leckere Leib- und Magenspeise auftischt.

Parmesansuppe

Man nehme:

1 l kräftige Hühnerbrühe
2 Eier
100 g geriebenen Parmesankäse
1 Bund Schnittlauch
1 Schuß trockenen Weißwein

Während die Brühe aufkocht, werden die Eier mit dem Parmesankäse verrührt und der Schnittlauch in Stückchen geschnitten. Man dreht die Hitze herunter und gibt unter ständigem Rühren die Eier-Käse-Mischung und den Schuß Weißwein hinzu, schmeckt ab, gibt die Suppe in eine Schüssel und den feingehackten Schnittlauch obenauf.

Dieses pikante Süppchen, mit französischem Weißbrot gereicht, hat unsere Redaktionsdamen sehr erfreut. Bei einem trockenen Weißen haben sie den nächsten Gang erwartet, sich aber auch das Rezept geben lassen: Die schnelle Suppe erfordert außer dem Parmesan keine besondere Vorratshaltung, ist in 6–8 Minuten zubereitet und kommt, bei einem niedrigen Kostenpunkt, immer bestens bei den Gästen an.

Mein Tip

Weiß- und Rotweinreste sollte man nicht wegkippen, sondern kühl und schattig aufbewahren. Soßen und Suppen sind stets dankbar für den »Schuß«, die Mär, auch mit billigem Wein könnten prima Soßen entstehen, sei mit dem Ausdruck der Empörung zurückgewiesen.

Danach gab's als kleinen Zwischengang ein pikantes Tomatensalätchen, das im Sommer besonders gut schmeckt.

Tomatensalätchen

Man nehme:

- 4 mittelgroße, schnittfeste Tomaten
- 1 große Gemüsezwiebel
- Pfeffer
- Salz
- Essig
- Öl
- Oregano
- etwas Zitronensaft

Die gekühlten Tomaten werden in feine Scheiben geschnitten und auf einen Vorspeisenteller gelegt.
Die Zwiebel wird aufgeschnitten, das Innere entfernt, die Zwiebelringe werden auf den Tomatenscheiben angerichtet.
Die Tomaten werden gepfeffert und gesalzen, mit Essig und Öl beträufelt, mit Oregano bestreut und mit Zitronensaft besonders würzig gemacht.

Zwischen dem Auftischen der Suppe und dem Verzehr der Tomaten liegen genau jene 20 Minuten, die wir zum Schmoren eines besonders leckeren, süßsauren Fleischgerichtes benötigen, ein Gericht, das neue Freunde schafft und die Stimmung steigen läßt:

Geschmorte Schweinelende mit Backpflaumen

Man nehme:

- 200 g entkernte Backpflaumen
- ½ l trockenen Weißwein
- 1 mittelgroße Schweinelende
- Pfeffer
- Salz
- Mehl
- Öl
- ¼ l süße Sahne
- 1 Schuß Madeira

Drei bis vier Stunden vor der Zubereitung weichen wir die Backpflaumen im Weißwein ein, wenn wir sie mit einer Gabel etwas anstechen, nehmen sie den Wein besser auf.
Auf einem Brett schneiden wir von der Schweinelende fingerdicke Scheiben ab, pfeffern und salzen sie beidseitig.
Danach werden die Lendenscheiben in Mehl gewendet, das überschüssige Mehl entfernen wir durch leichtes Abklopfen über dem Brett.
Die Lendenscheiben werden im Öl auf jeder Seite so lange angebraten, bis sie goldbraun sind. Nun werden sie zur Seite gestellt, das Fett bis auf einen kleinen Rest Bratenfond abgegossen. Wein, Pflaumen, Bratenfond und das Fleisch wird in eine Kasserolle gegeben, in der wir das Ganze etwa 20 Minuten zugedeckt bei

mittlerer Hitze schmoren lassen. Kurz vor dem Servieren nehmen wir Fleisch und Pflaumen heraus und stellen beides warm.
Pflaumen, Wein und Bratenfond werden nochmals kurz aufgekocht, dann wird die Hitze reduziert und die Sahne flink untergerührt. Nun kommt noch ein kleiner Schuß Madeira hinzu. Das Fleisch wird mit den Pflaumen und der Soße angerichtet.
Dazu passen grüne Nudeln hervorragend, man kann sie kurz vor dem Servieren noch mit Parmesan bestreuen. Wenn Sie ein wenig Mut haben, dann experimentieren Sie mit der Lenden-Wein-Backpflaumen-Soße ruhig ein wenig, tauschen Sie Madeira einmal mit Cognac, versuchen Sie es mit einem trockenen Sherry – jeder ist sein eigener Soßenmeister, dem Applaus sicher sein dürfte.

Mein Tip

Sollte Ihnen einmal eine Soße gleich welcher Art zu sämig geraten: Mit heißer Hühner- oder Rinderbrühe läßt sich recht gut strecken…

Bevor wir einen Mokka präsentieren, können wir den strapazierten Gaumen vielleicht noch mit einem einfachen, aber pikanten Dessert verwöhnen:

Champagnersorbet

Man nehme:

1 Flasche Champagner oder trockenen Rieslingsekt
500 g Zitroneneis

Wir geben ein Eisbällchen oder einen Eßlöffel Zitroneneis in Sektkelche oder -schalen und den eisgekühlten Champagner oder Sekt darüber. Dieses Dessert wird mit einem Löffel gereicht.

Mein Tip

500 g Eis haben wir deshalb empfohlen, weil rege Nachfrage nicht auszuschließen ist…

Solcherart also haben unsere Damen gespeist, im Anschluß noch einen Verdauungsspaziergang in den nahen Wald unternommen, nach einem opulenten Mahl wahrlich empfehlenswert, sie waren mit dem Koch gemeinsam höchst zufrieden.

Daß dabei ein entliehener Hausschuh abhanden kam, liegt daran, daß eine der Damen einen Waldweg mit einem Bachlauf verwechselt hat. Mittelschwer also sollte der Rotwein sein...

Nachdem wir bei diesem Redaktionsmenü anfangs trockenen Riesling gereicht haben, einen spritzigen Johannisberger, steigen wir bei der Lende auf einen schönen Roten um. Ein schwerer, trockener Ingelheimer empfiehlt sich. Sie sollten aber ruhig einmal den Mut haben, einen Spitzen-Italiener zu verkosten; hochwertige und unverfälschte D.O.C.-Weine aus unserem Nachbarland gibt's für um die 15 Mark. Sie werden erstaunt sein, wie manches italienische Gewächs in Geschmack und Harmonie an die roten Franzosen herankommt – für weitaus weniger Geld.

August F. Winkler, Journalist und Feinschmecker, hat vor einigen Monaten klar und deutlich gesagt: Man sollte zu jedem Gericht den Wein trinken, auf den man Lust und Durst hat. Wem ein kalter Vouvray zum Wildschwein schmeckt, na bitte, und wer einen 1953er Château Petrus oder einen 59er Höllenberg zur Sauerampfersuppe mag – es ist schließlich sein Geschmack, und über den sollte man, natürlich im Dialog mit den Gästen, selbst entscheiden.

Der schnelle Draht zum Funkhaus

Ähnlich verhält es sich mit dem, was man »alternative Lebensweise« nennt, da kommt uns im Funkhaus einiges in dieser Hinsicht unter.

Über Ökotrends wird berichtet und wir, die Journalisten, können eigentlich nur resümieren: Von Tag zu Tag wird kritisches Umweltbewußtsein größer, daraus resultierend versuchen auch wir, unseren Hörerinnen und Hörern mit Rat und Tat zur Seite zu stehen.

In den ersten hektischen Tagen nach dem Unglück in Tschernobyl im April 1986 hatte sich die Redaktion (nicht nur unsere) in ein Beratungszentrum verwandelt, wir hatten uns zum frühesten Zeitpunkt nach Bekanntwerden des Unfalls gesagt: Das ist jetzt erstmal Thema Nummer 1. Unser schönster Lohn für den Einsatz, für viele Sendestunden in ganz spezieller Hinsicht, war dann – eine Rüge.

Hausintern wurden wir von den

zuständigen Kollegen aufgefordert, bestimmte Telefonnummern, nämlich die der UiH-Redaktion, nicht mehr anzugeben. »Durch die Vielzahl der Anrufe«, so hieß es in dem Schreiben sinngemäß, »konnten an einigen Sendetagen durch den Zusammenbruch aller Leitungen weder Gespräche ins Funkhaus noch aus dem Funkhaus heraus ermöglicht werden.«
Wir werden uns also künftig spezieller Sondernummern bedienen, doch uns hat es Spaß gemacht und befriedigt, im direkten Gespräch, unterstützt von Experten, Tausenden von Anrufern einen hoffentlich guten Rat geben zu können.
Vom Telefonieren zum Essen. Bezeichnen Leute, die wiederum von anderen als »Trendsetter« herausgestellt werden, irgendetwas als ganz besonders alternativ, muß mancher Ältere grinsen, nach dem Motto: »War alles schon mal da.« Beispielsweise folgendes Rezept:

Löwenzahnsalat

Man nehme:

- 500 g frischen Löwenzahn
- 1 Tasse saure Sahne
- 2 EL Essig
- 1 EL Öl
- 1 TL Salz

Der Löwenzahn wird sehr gut gewaschen und in mundgerechte Stücke zerrupft.
Aus der Sahne, dem Essig, dem Öl und dem Salz wird ein Salatdressing angerührt und der Salat damit gemischt. Nach der gleichen Methode läßt sich auch Brennesselsalat zubereiten.

Mein Tip

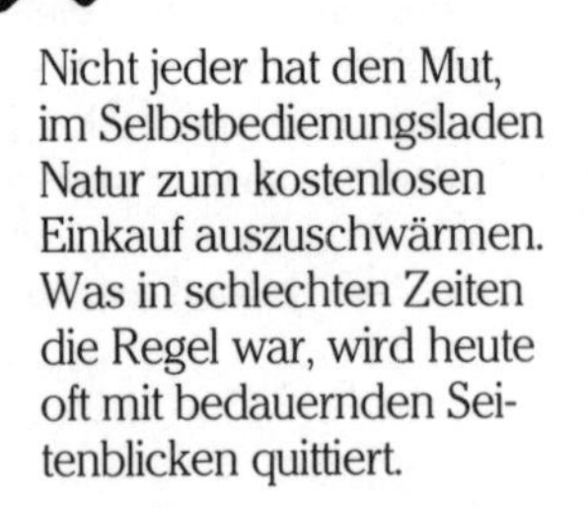

Nicht jeder hat den Mut, im Selbstbedienungsladen Natur zum kostenlosen Einkauf auszuschwärmen. Was in schlechten Zeiten die Regel war, wird heute oft mit bedauernden Seitenblicken quittiert.

Wichtig erscheint es uns noch, darauf hinzuweisen, daß beim Sammeln von Naturkräutern, wie z.B. von Sauerampfer, Löwenzahn und Brennessel auf deren Standorte geachtet werden soll. In der Nähe von Industrieanlagen, Straßen und Autobahnen, aber auch dort, wo unter Umständen gespritzt worden sein könnte, sollte man sich zurückhalten. Die »klassische« Brennessel- und Löwenzahnerntezeit ist übrigens von März bis Mai.

Es ist ein mühsam Ringen…

Bertramstraße 8

So, und jetzt möchten wir einen kleinen Spaziergang zum Funkhaus am Dornbusch machen, denn ein bißchen Insiderwissen schadet ja nichts.
Vor die tägliche Funkerei haben die Götter die Gremien gesetzt, den Verwaltungsrat, den Programmbeirat, den Rundfunkrat, alle schön paritätisch besetzt, damit möglichst viele Bevölkerungsgruppen repräsentiert werden.
Oberster Chef ist der Intendant, dicht gefolgt von den beiden Programmdirektoren Hörfunk und Fernsehen, vom Verwaltungsdirektor, von Chefredakteuren für Radio und Bildschirm und von rund 2 000 Mitarbeitern, von denen die meisten stets unsichtbar hinter den Kulissen wirken, aber unverzichtbar für reibungslose Programmacherei sind.
Gärtner und Weißbinder, Archivare und Bibliothekare, Ingenieure aller Art, Verwaltungsprofis, Juristen und Germanisten, Redakteure und Regisseure, Kaltmamsellen, Maskenbildnerinnen, Sie glauben nicht, was so ein Riesenhaus an Berufspalette zu bieten hat.
Mittler zwischen drinnen und draußen ist nicht nur das Programm, sondern auch die Abteilung Publizistik. Sie koordiniert die Besuchertermine und führt tagtäglich Gruppen und Grüppchen, auch ganze Reisebusbesatzungen durchs Funkhaus und durch die Sendestudios.
Nach der Sendung zieht es, verständlich, die Damen und Herren zum wohlverdienten Mittagsmahl ins HR-Kasino. Das hat zwar allerhand zu bieten, doch auf Grund des pp. Publikums mangelt es doch ein wenig an hessischen Deftigkeiten.
Das folgende Rezept stammt aus einem südhessischen Lokal, in dem der illustren Stammtischrunde ein eigens gewählter Präsident vorsitzt, der bei Magenknurren ruft: »Irmgard, bitte ...«

Frikadellen mit Kartoffelsalat

Man nehme:

für den Kartoffelsalat:

1 kg Salatkartoffeln
2 mittelgroße Zwiebeln
100 g Dörrfleisch
Öl
Essig
Salz
Pfeffer
Fleischbrühe

für die Frikadellen:

3 Brötchen
3 Eier
750 g Rinderhackfleisch
4 mittelgroße Zwiebeln
Salz
Pfeffer
Paprika
Öl

Die Salatkartoffeln werden in Salzwasser schnittfest gekocht und mit kaltem Wasser gut abgeschreckt. Die Kartoffeln werden anschließend in kleine Scheiben geschnitten, die Zwiebeln kleingehackt und das Dörrfleisch gewürfelt.

Die Zutaten werden alle gemischt, Öl und Essig darübergegossen, nach Geschmack mit Salz und Pfeffer gewürzt. Vorsichtig etwas lauwarme Fleischbrühe darübergießen, mischen.
Die Brötchen werden in Wasser eingeweicht und gut ausgedrückt. Die Eier werden gut verquirlt und mit dem Hackfleisch und den Brötchen vermengt, dazu die kleingehackten Zwiebeln geben.
Die Masse wird mit Salz und Pfeffer und etwas Paprikapulver abgeschmeckt. Aus der Masse werden die Frikadellen ziemlich flach geformt und in heißem Öl knusprig ausgebacken.

Hessisch Gebabbel

Daß sich die »Unterwegs-in-Hessen«-Mannschaft an vieles hält, was in Hessen Sache ist, merkt man bei unseren Dialektsendungen.
Was jeder Bayer sich leistet, jeder Friese tut und zahllose Österreicher so charmant erscheinen läßt, nämlich der tägliche Umgang mit dem Dialekt, ist in unserem Land nicht jedermanns Sache. Zwar stirbt das hessische Idiom nicht aus, wir aber wollen in unregelmäßigen Abständen knappe zwei Stunden Sendung »total hessisch« gestalten. Post, gleich waschkorbweise, bestätigt uns in diesem Vorhaben.
»Es ist«, formulierte es jüngst eine Kollegin, »doch ein Unterschied, ob man jemandem eine Ohrfeige androht oder sagt: Dir haach ich glei wedder daan morsche Hals.« So würde sich auch das folgende Rezept sehr unhessisch darstellen, hieße es »Topfkuchen«.

Pinkes oder Dippekuche

Man nehme:

- 1½ kg dicke Kartoffeln
- 1 große Zwiebel
- Öl
- 2 Eier
- etwas Kartoffelmehl
- Salz
- Pfeffer

Die Kartoffeln werden geschält und gerieben. Anschließend gibt man die Kartoffelmasse in ein Sieb und läßt das Kartoffelwasser abtropfen. Die geschälte Zwiebel wird dazugerieben.
In einer Pfanne wird Öl erhitzt. Die geriebenen Kartoffeln werden mit den Eiern und dem Kartoffelmehl zu einem dicken Brei gemischt, mit Salz und Pfeffer gewürzt.
Die Masse wird in die Pfanne gegeben und nach kurzer Zeit gewendet. Dieser Vorgang wird solange wiederholt, bis die Masse gar ist, dann bräunt man sie von beiden Seiten.

Mein Tip

Dazu gibt's im Raum Weilburg Apfelbrei.

Zwar versteht jeder, was mit einem Suppenhuhn gemeint ist, doch ein »Briehhinkel« hat von der Lautmalerei her auch seine Qualitäten. Das wissen auch die Menschen in Mittelhessen, die gerne von der »Rore-Rüwe-Roppmaschin«, der »Roten-Rüben-Ausmachmaschine«, sprechen und Touristen mit dem Zungenbrecher auf die Schippe nehmen.
Sollten Sie sich bislang unter Huckefett nichts vorstellen können, hier das Rezept:

Huckefett

Man nehme:

- 250 g fetten Speck
- 500 g Zwiebeln
- Pfeffer
- Salz
- Milch

Der Speck und die Zwiebeln werden geschnitten und in einer Pfanne gebraten. Wenn der Speck gebräunt ist und die Zwiebeln glasig sind, mit Pfeffer und Salz kräftig würzen.
Dann geben wir Milch je nach Wunsch dazu und lassen das Ganze kurz aufkochen.

Wir sind immer für Sie da!

Welcher Verbund zwischen Redaktion und Hörerschaft entstehen kann, das hat uns der Reaktorunfall von Tschernobyl im April 1986 gezeigt. Bis zu 400 Anrufe pro Sendung, Kolleginnen und Kollegen, die morgens um 5 Uhr von der Recherche zurückkamen oder vor Ort eintrafen, um Sie alle zu informieren. Eben, da diese Zeilen geschrieben werden, haben wir den fünften Sendetag mit je einer runden, informativen Stunde zum Thema Radioaktivität – und wieviele noch kommen mögen, steht noch in den Sternen. Aber – lassen Sie uns die Gelegenheit nutzen, den zahllosen Anruferinnen und Anrufern einmal »Danke« zu sagen für das Vertrauen, das Sie in uns, die wir ja auch nur Laien sind, haben.

Da suchten Spargelbauern und Gemüsepflanzer, Kleingärtner und Hausfrauen mit Balkonkräutern Rat, Trost, Erläuterung, Aufmunterung. Was wir wußten, was uns abgesichert erschien, haben wir weitergegeben, so, wie es unsere Aufgabe ist. Redaktionskonferenzen fielen aus, weil alle ausgeschwärmt waren auf der Jagd nach neuen, wichtigen Informationen, Sondersendungen wurden aus dem Boden gestampft, Gesprächspartner – Experten – gelockt, geködert.

Und was die Anrufer in jenen hektischen Tagen alles wissen wollten: Was ist mit dem Handtuch zu tun, mit dem man sich die nassen Haare abgerubbelt hat? Was ist der Unterschied zwischem rem und rad? Becquerel, gibt's da nicht eine Margarine, die auch so heißt? Sollen wir unsere Katze einsperren? Wie steht's mit Freilandhühnern? Darf die Oma Frischmilch trinken? Es heißt ja doch, Kleinkinder sollen nicht...

Aber: Es tat – und tut – gut, gefordert zu werden. Denn die wenigsten wissen: Wir sind immer für Sie da, nicht nur, wenn guter Rat teuer ist. Zwar sind auch für die Kollegen von den Zeitungen die Leser anonym, doch es ist halt ein Unterschied, ob man in die Schreibmaschine oder den Textcomputer tippt – oder vor einem Mikrofon drauflos berichtet.

Die Einsamkeit des Studioredakteurs

Besuchergruppen im Funkhaus am Dornbusch sind immer wieder erstaunt, wenn Sie Moderatoren und Reporter mutterseelenallein im riesigen Studio 8 erblicken.
Stellen Sie sich einen Raum mit rund 48 Quadratmetern vor, in dem ein einsamer Tisch steht, umrahmt von 6 Stühlen mit gelbem Polster. Von der Decke ragt ein langer Stab nach unten, da hängt das Mikrofon dran, weitere stehen auf Ständern auf dem Tisch. Dann gibt's da noch eine Batterie, Kopfhörer und unzählige Knöpfe, von denen drei besonders wichtig sind: Der Kommandoknopf, über den man mit den Toningenieuren und dem Senderegisseur reden kann, der Knopf zum Laut- und Leisestellen des Kopfhörers und der Lautstärkeregler für die Mithörlautsprecher. Die schallschluckenden Wände, brauner Teppichboden, eine Klimaanlage, ein Aschenbecher für paffende Zeitgenossen und ein blecherner Papierkorb verbreiten also kein anheimelndes Barock-Wohngefühl.
Dann gibt's noch eine Tür, verständlich, und eine Riesenscheibe zur Regie und zum Nachbarstudio. In der Regie oder Technik steht ein fast 10 Meter langes Schaltpult, hinter diesem Abspielmaschinen für Bänder und Platten. Hier residiert der Mann, die Frau am Regler, jenem unscheinbaren Schieber, der die Ausgangsqualität unserer Sendetöne auf ein gesundes Mittelmaß bringt; das ist der Arbeitsplatz des Toningenieurs. Der Abspieldienst, das sind die Kollegen, die für promptes und exaktes Laufenlassen von Bändern und Platten Sorge tragen, ist hier etabliert. Auch der jeweilige Programmgestalter, der Mann, der die Musik zur Sendung auswählt, hat hier seinen Platz, oft genug muß er ans Telefon gerufen werden, immerhin sind acht Anwählnummern vorhanden.
»Also die Musigg hat mer äwe garnet gefalle, könne se net emal e Operett spiele« oder »Mir geht das Rambazamba gewaltig auf den Geist«, das sind Redensarten, denen er fachlich Paroli bieten muß. Muß deshalb, weil wir uns hausintern geeinigt haben, Musik für jedermann zu machen, Operetten Samstagabend oder auf HR-2 und eben nicht in Magazinen. Der Programmgestalter ist fast immer in Verteidigungsstellung, denn er soll es jedem musikalisch recht machen – ein Ding der Unmöglichkeit. Komplettiert

wird die Sendemannschaft vom Regisseur, das ist Mann/Frau aus der UiH-Redaktion, der/die gestreng auf Fahrplan und Stoppuhr blickt und für das sorgt, was wir »Timing« nennen.
Lösen wir das Rätsel der auf die Sekunde »gefahrenen« Sendung. In »Unterwegs in Hessen« fahren wir mit einem Mittelmaß von 12 Beiträgen in 100 Sendeminuten. »Fahren« deshalb, weil wir Bänder und Musiken »abfahren« – und hinterher lauthals verkünden: »Die Sendung ist gut gelaufen.«
Die meisten Berichte und Reportagen sind »live«, werden also im Sendestudio gesprochen, kommen per Telefon oder Ü-Wagen aus den Regionalstudios in Kassel, Bensheim, Fulda und Wetzlar. Zwischen den Beiträgen läuft Musik, und mit dieser tricksen wir ein wenig: Ist es drei Minuten vor elf Uhr, läuft aber eine Musik von drei Minuten vierzig Sekunden, dann zieht der Toningenieur, den Sekundenzeiger der Riesenstudiouhr im Auge, den Musikregler nach unten, blendet also aus – und schiebt mit der anderen Hand jenen Regler hoch, der das Mikrofon beim Nachrichtensprecher »aufmacht«. Vorher hat er einen kleinen, silbernen Knopf gedrückt, ein weißes Licht ist vor dem Nachrichtensprecher aufgeleuchtet. »Achtung«, heißt das – und wenn die rote Lampe brennt, ist man »auf dem Sender«.
Unsere Stammhörer können die HR-Sendungen auch weit außerhalb des Hessenlandes empfangen. Auf Mittelwelle bei klarem Himmel bis rauf nach München, ebenfalls auf Mittelwelle bis nach Bonn, weit hinein in die DDR, wo wir treue Kunden haben und auch noch kilometerweit in andere Bundesländer hinein. Überreichweiten nennen wir das, und selbst der gestrengste Intendant kann den Ätherwellen nicht befehlen, an den Landesgrenzen haltzumachen. Schlitzohrig, wie der Schreiber dieser Zeilen sein kann, baut er jetzt eine goldene Brücke: Je weiter Sie vom Sendegebiet wegkommen, desto schlechter wird der Empfang, beim Sendersuchen erhalten Sie Bandsalat – und damit sind wir automatisch, logisch bei hessischen Salatrezepten:

Lauchsalat

Man nehme:

250 g Lauch
100 g Feldsalat
3 Äpfel
4 EL süße Sahne
4 EL Distelöl
weißen Pfeffer
½ TL Kräutersalz
Basilikum
Petersilie

Vom Lauch verwenden wir nur die zarten, hellen Teile. Diese werden gewaschen und kleingeschnitten.
Der Feldsalat wird gut gewaschen, dann lassen wir ihn abtropfen. Die Äpfel werden in kleine Stücke geschnitten.
Die Sahne, das Distelöl, Pfeffer, Kräutersalz, Basilikum und Petersilie werden zu einem Salatdressing vermischt.
Feldsalat und Lauch werden ebenfalls gemischt, dann geben wir das Dressing daran und mischen gut durch.
Pellkartoffeln passen gut dazu.

Mein Tip

Salat sollte auf keinen Fall lang gewässert werden. Kurz vorm Anmachen erreicht man den »knackigen Salat« durch intensives Trockenschleudern in einem Küchenhandtuch oder »maschinell« mit der Salatschleuder, die es für nicht viel Geld fast überall zu kaufen gibt.

Empfehlen möchten wir Ihnen ein weiteres Salatrezept, denn die Ernährungswissenschaftler warnen auch in unseren Sendungen oft davor, zuviel Fleisch zu essen. Unsere Altvordern hatten damit keine Sorge, für Fleisch hatte man früher kaum Geld in der Tasche.

Rot-weiß-Salat

Man nehme:

- 300 g Rettich
- 300 g Fleischtomaten
- 4 EL Distelöl
- 2 EL Obstessig
- 1 gepreßte Zehe Knoblauch
- 1 große Zwiebel
- Schnittlauch, Petersilie
- weißen Pfeffer

Der Rettich und die Tomaten werden gewaschen und in Würfel geschnitten.
Distelöl und Obstessig werden miteinander vermengt, der Knoblauch kommt, ebenso wie die kleingehackte Zwiebel, der gehackte Schnittlauch und die Petersilie hinzu. Gewürzt wird mit dem weißen Pfeffer.
Rettich und Tomaten werden mit der Soße gemischt – fertig.

Da unser Büchlein im Herbst erscheint, und somit rechtzeitig zur Kastanienernte, gestatten wir uns, zwischen die Salate eine Spezialität aus Kronberg zu schieben. Die dazu benötigten Naturprodukte gibt's bekanntlich auch in anderen Landesteilen.

Käste-Brüh (Kronberger Kastanien)

Man nehme:

- 1 500 g Kastanien
- 2 Zwiebeln
- 1 kg Schweinekamm
- 1 500 g Äpfel
- 100 g Sultaninen
- Wasser
- Salz
- 1 Brötchen

Am Vortag bereiten wir die Kastanien vor, indem wir sie in kleinen Portionen kurz in kochendes Wasser geben und dann schälen – ein etwas mühsames Geschäft.
Die zerkleinerten Zwiebeln und den Schweinekamm kochen wir 1 Stunde in ¾ l Salzwasser, geben dann die geschälten und geviertelten Äpfel und die Sultaninen hinzu und lassen das Ganze etwa 30 Minuten köcheln, die Kastanien müssen wir dabei im Auge behalten, damit sie nicht zerfallen.
Zum Schluß machen wir die Brühe mit einem in Wasser eingeweichten Brötchen sämig – so hat es dem Dichterfürsten Goethe schon geschmeckt.

Nix im Sack – nix uffm Disch

Nun zum Krautsalat. Wobei uns einfällt, daß Sie in diesem Kochbuch mehr auf Gemüse und Kartoffeln treffen als auf Fleisch. Wir haben in uralten Kochbüchern gestöbert, mit gelehrten Historikern gesprochen und immer das gleiche herausbekommen: Hessen hat keine klassische Fleischküche. Sogar das vielgerühmte »Kasseler« stammt vom Berliner Metzgermeister Cassel, tut uns leid, Ihr Kasselaner.
Grund für den Mangel an Fleischrezepten, den wir auch nicht künstlich anreichern wollen: Die Leut' in Hessen waren allemal arm, Landwirte, Arbeiter, Häusler, manche auch Soldaten, die von ihrem Landesherrn gar verkauft wurden. Da war für Kalbsfrikassee kein Platz und kein Heller, Gulden, Batzen da, geschweige denn für Fleischiges wie Jäger-, Zigeuner-, Wiener, Holsteiner und sonstige Schnitzel. Da gabs kein Cordon bleu, nix Esterhazy, Geschnetzeltes, Gehacktes. Das, was die Scholle zu bieten hatte, war in Hessen Hausmannskost – und wenns mal Fleisch gab, dann am Sonntag. (Gar nicht falsch, unken die Ver-

braucherberater, denn allzuviel davon ist ungesund.) Weiter geht es im hessischen Salatbereich:

Weißkrautsalat mit Speck

Man nehme:

1 kg Weißkraut
½ Tasse Essig
¼ Tasse Wasser
2 mittelgroße Zwiebeln
150 g mageren Speck
2 EL Öl
Salz
Pfeffer
Kümmel

Das Weißkraut wird geputzt, gewaschen und in feine Streifen geschnitten, dann mit kochendem Wasser übergossen und einige Minuten stehengelassen. Anschließend lassen wir das Kraut abtropfen und geben es in eine Schüssel.
Die Marinade aus Essig, Wasser, kleingehackten Zwiebeln geben wir darüber. Der gewürfelte Speck wird im Öl goldgelb angebraten und mitsamt dem Öl über das Weißkraut gegeben. Mit Salz, Pfeffer und Kümmel würzen, mischen und servieren.

Mein Tip

Camping- und Reisemobilfreunden steht bei der Anreise zum Urlaubsziel oft die Lust auf frischen Salat ins Gesicht geschrieben, nur, den gibts nicht immer an den Ferienrouten. Weißkraut und Weißkohlköpfe lassen sich in einem feuchten Tuch prima frischhalten, mit Essig und Öl, Pfeffer und Salz ist im Nu ein Salätchen auf der Tour fertiggestellt.

Von Stars aller Art erfahren wir ja immer wieder, mit welch famosen Tricks, Tips und Diäten sie sich fit und schlank halten.
Das Geheimnis der Lottofee Karin Tietze-Ludwig können wir nicht verraten, aber ihre Leib- und Magenspeise wird hier publiziert. Hans-Jürgen Tietze, nach vielen Jahren beim NDR in Hamburg, seit fast ebenso vielen in der HR-Zeitfunk-Redaktion, schwört samt Gattin Karin auf

Spanisch Fricco

(für 6 Personen)

Man nehme:

1 kg Pellkartoffeln
Pfeffer
Salz
800 g Hackfleisch
»halb und halb«
1 große Zwiebel
2 hartgekochte Eier
400 g Crème fraîche

Die gekochten Kartoffeln werden gepellt, in dünne Scheiben geschnitten, mit Pfeffer und Salz gewürzt und schichtweise mit dem Hackfleisch, das mit der kleingehackten Zwiebel vermengt und dann gewürzt wurde, in einen Wasserbadtopf gegeben. Dazu kommen die in Scheiben geschnittenen Eier.
Über das Ganze geben wir die Crème fraîche und lassen es etwa 1 Stunde im Wasserbad garen.
Die Tietzes empfehlen zum Fricco einen grünen Salat.

Zum nächsten Salat muß leider gesagt werden: Allzuviel an Pilzen ist mittlerweile auch ungesund, aber das gilt auch für Innereien, Eier, Butter samt Cholesterin und, und, und. »Je mehr kluge Mediziner das Land hervorbringt«, sagte einmal ein gescheiter Kritikus in »Unterwegs in Hessen«, »desto mehr Krankheiten und Schadstoffe erfinden die Brüder.«

Mein Tip

Wegen des Siegeszuges der Crème fraîche müssen wir Hessen nicht erblassen. Seit Monaten ist aus dem Mittelhessischen der Schmand, ein schöner, fetter Rahm auf dem Vormarsch in den Kühlregalen. Bei noch geringer Schmandnachfrage ist er allerdings meist um ein paar Pfennige teurer als die Konkurrentin aus Frankreich.

Pilzsalat

Man nehme:

500 g mittelgroße Steinpilze
4 EL Öl
2 EL Zitronensaft
2 EL Wasser
Petersilie
Schnittlauch
Salz
Pfeffer
Zwiebeln

Die Steinpilze werden gut gereinigt, einige Minuten ins kochende Salzwasser gelegt, geteilt und in eine Schüssel gegeben.
Aus Öl, Zitronensaft und Wasser wird eine Marinade zubereitet. Die Pilze ziehen darin eine Weile, bevor der Schnittlauch und die Zwiebel kleingehackt darübergegeben werden. Der Salat kann mit Petersilie garniert werden.

Sind Ihnen Pilze zu teuer, schmecken Sie nicht, dann könnten Sie auf Spinat ausweichen. Auch da streiten sich die Geister. Mancher Mensch glaubt, nur was »biologisch« angebaut wird, ist kerngesund. Aber: Auch Bauernhöfe mit Ökobäuerlein kriegen die gleiche Luft ab wie der Nachbar nebenan. Und was hilft der chemiefreie Anbau, wenn das Autobahnkreuz zweitausend Meter weiter ist.

Spinatsalat

Man nehme:

- 400 g jungen Spinat
- 3 EL Distelöl
- 200 g saure Sahne
- 2 EL Obstessig
- 1 EL Zitronensaft
- ½ TL Kräutersalz
- Schnittlauch
- etwas edelsüßen Paprika

Der Spinat wird gewaschen, die dicken Stiele entfernt. Die Blätter gut abtropfen lassen.
Aus Distelöl und Sahne, Obstessig, Zitronensaft und Kräutersalz wird die Soße zubereitet und mit einem Hauch Paprika gewürzt. Dann geben wir den kleingeschnittenen Schnittlauch hinzu.
Salat und Soße werden miteinander vermengt, in einen Topf gegeben und zugedeckt. Wenn das Gericht 15 Minuten durchgezogen ist, ist es servierfertig.

Daß man aus Salat auch feine Süppchen machen kann, weiß noch längst nicht jeder. Daß Salat aus Nachbarländern gelegentlich mit Mittelchen hochgepäppelt wird, die man besser von Mund und Magen fernhalten soll, predigen die Verbraucherzentralen seit Jahren. Deshalb sei's Ihnen überlassen, was Sie wo kaufen. Hauptsache, Sie halten sich ans Rezept, es kommt aus Oberhessen. (Sagte ein amerikanischer Kollege vom Soldatensender AFN direkt neben dem HR: »Typisch für euch, ihr könnt nicht einfach Hessen sein oder die Bayern Ammergauer, es muß auch Ober-Hessen und Ober-Ammergauer geben.)

Salatsuppe aus Oberhessen

Man nehme:

1 Kopfsalat
100 g Speck oder Dörrfleisch
etwas Öl
1 l Dickmilch
Salz

Der Kopfsalat wird verlesen, gewaschen, in kleine Stücke geschnitten und in eine Schüssel gegeben.
Der Speck wird kleingeschnitten, in einer Pfanne mit etwas Öl ausgebraten und heiß über den Salat gegeben.
Die kalte Dickmilch darübergießen und mit etwas Salz abschmecken. Dazu werden im oberhessischen Raum Pellkartoffeln gegessen.

Trau'n Sie sich!

Über Salate und ihre Titel in der Gastronomie hat sich unsereiner schon oft geärgert. Vielleicht wissen Sie, daß es in den USA den Verbraucheranwalt Ralf Nader gibt, einen wegen seiner Schärfe berühmten Juristen, der uns hierzulande auch gut zu Gesicht stehen würde, denn: Jeder ist Verbraucher. Haben Sie mal drüber nachgedacht, ob der »Venezianische Salat« beim Italiener seine 7,50 Mark wert ist? Und: Haben Sie's ihm denn gesagt?
Was für deutsche Wirte gelegentlich genauso gilt. Beim Salat schlagen die Herrschaften erbarmungslos zu, und der Hesse, dem man Maulfaulheit nachsagt, schweigt und zahlt. Ich möchte Sie motivieren, dünngeklopfte Schnitzel nicht zu akzeptieren, schlecht eingeschenkte Biere zurückzuweisen und Getränkekartenangaben wie »Rheinwein, Moselwein« zum Reklamationsanlaß zu nehmen. Denn Sie würden wohl kaum ein Jacket ohne Knöpfe oder ein Kleid mit fehlendem Reißverschluß kaufen, oder?
In unseren Sendungen bemühen wir uns täglich, anderen kritisches Verhalten vorzuleben, nicht aus Arroganz, aus Einsicht. Denn wenn wir als Journalisten nicht kritisch mit gutem Beispiel vorangehen, wen sollten wir dann animieren, Gleiches zu tun? Ein Kollege hat, vor Ehrfurcht starr, einen prominenten Bundespolitiker vor einiger Zeit folgendes im Interview gefragt:

»Herr Doktor X., sie befürworten trotz kritischer Haltung die Kernenergie, obwohl Teile der Bevölkerung dagegen sind. Wie begründen sie ihre Haltung?«
Dr. X.: »Meine Parteifreunde und ich, da verweise ich auf die Grundsatzerklärung meines Parlamentskollegen Y., haben von vornherein und immer gesagt, daß Technologiefeindlichkeit keinerlei Innovation in die von uns geförderte wirtschaftliche Strukturpolitik bringen kann. Lassen Sie es mich so sagen: Gemäß unserem politischen Programm sehen wir das Positive wie das Negative, meinen aber auch, daß nach Abwägung aller Sachzwänge einerseits Prioritäten zu setzen sind, andererseits aber dem von der Bevölkerung vielfältig ausgedrückten Sicherheitsbedürfnis Rechnung zu tragen ist, denn unsere vorrangige Aufgabe sehen wir auch darin, den Bürger, den mündigen, als unseren Mandanten zu sehen, dem wir zu entsprechen haben und dessen Meinung von uns hochgeschätzt wird, obwohl wir andererseits eine politische und moralische Verpflichtung gegenüber späteren Generationen haben ...«
Ob wir die Aussagen des prominenten Herrn nun als Eintopf oder Auflauf bewerten, sei jedermann selbst überlassen. Völlig unstrittig ist das folgende Rezept für eine Gulaschsuppe, die nicht aus der Dose kommt:

Mein Tip

Wer über eine Topf- und Pfannenbatterie verfügt, langt nicht immer zum Schnellkopftopf. Der Erfahrungsaustausch mit den Anwendern der schnellen und energiesparenden Töpfe beweist jedoch: Umdenken und umstellen lohnt sich.
Falls Sie jedoch keinen Schnellkochtopf besitzen und auf einen normalen Topf zurückgreifen, braucht die Suppe etwa 45 bis 60 Minuten.

Gulaschsuppe

Man nehme:

125 g gewürfelten Speck
500 g Rindfleisch
500 g Zwiebeln
300 g gewürfelte Kartoffeln
250 g Tomaten
200 g Möhren
3 zerdrückte Knoblauchzehen
2 Stangen Lauch
½ Sellerieknolle
2 Lorbeerblätter
2 EL Rosenpaprika
Salz, Zucker
200 g saure Sahne

Der Speck wird in einem Schnellkopftopf ausgebraten, das Fleisch in Würfel geschnitten und im Speckfett angebräunt.
Die Zwiebeln werden feingehackt, die Kartoffeln, die Tomaten und die Möhren in große Würfel geschnitten und zum Fleisch gegeben.
Nun geben wir den Knoblauch, den feingeschnittenen Lauch, den kleingewürfelten Sellerie und die Gewürze dazu und füllen das Ganze mit kochendem Wasser auf.
Der Topf wird verschlossen und die Gulaschsuppe 15 bis 20 Minuten gegart. Den Topf gut abkühlen lassen, bis kein Druck mehr im Kochtopf ist. Dann erst den Topf öffnen. Nun wird die saure Sahne zur Suppe gegeben und nochmals abgeschmeckt – »ferdisch is die Supp«.

Schon der Urahn hat recycelt

Ohne daß sie das Wort kannten, haben unsere Altvordern kräftig »recycelt«, wiederaufgearbeitet, weniger weggeworfen als unsere heutige Gesellschaft, die sich angesichts riesiger Müllhalden allmählich zurückbesinnt.
In unserer Berichterstattung haben wir stets alle denkbaren Möglichkeiten des Einsparens und Wiederaufarbeitens aufgezeigt, werden dies auch weiter tun. Im Frühjahr '86 erfuhren wir von amtlicher Seite, daß beispielsweise die Altpapierhalden so groß geworden sind, daß damit befaßte Händler kaum noch akzeptable Preise erzielen.
Früher hat der Metzger, ohne mit der Wimper zu zucken, den Stöppel Worscht in Zeitungspapier eingewickelt. Heute ist es feinbedrucktes, fettabweisendes Papier mit dem Hinweis, daß die Ware aus dem Fleischerfachgeschäft stammt.
Hinhalten mußte die Zeitung fürs Örtchen, fürs Verpacken von einzelnen Eiern, zum Auspolstern nasser Schuhe, zum Einwickeln von Briketts fürs Feuerhalten über Nacht. Beim Essen geht's uns auch oft genug so, daß Reste weggekippt werden. Oft für die Katz haben wir in unseren Sendungen geraten, organische Abfälle auf den Komposthaufen zu bringen, ein guter Rat, wenn man im 14. Hochhausgeschoß wohnt.
Bei der Hausschlachtung aber war und ist es Tradition, nix umkomme zu losse, noch nicht einmal das Wasser, in dem die

Wurst gargekocht wurde, wie das folgende Rezept beweist:

Schlachtbrühe

Man nehme:

1½ l Wurstsuppe
4 große Zwiebeln
1 Brötchen
250 g gewürztes Hackfleisch
250 g Bratwurstbrät
125 g Leberwurstfüllung

Die Wurstsuppe wird in einem Topf erhitzt, die Zwiebeln kleingeschnitten und in der Suppe zirka 25 Minuten gegart.
In der Zwischenzeit wird das Brötchen in Wasser eingeweicht, ausgedrückt und dazugegeben.
Dann wird das Hackfleisch, die Brat- und Leberwurstfüllung dazugegeben und die Masse unter ständigem Rühren 15 Minuten abgekocht.

Ob aus der Not oder aus der Spartugend geboren, wissen wir beim nächsten Rezept nicht. Daß es schmeckt, können Sie sich selbst beweisen. Kochen Sie mal probehalber.

Brotsuppe

Man nehme:

500 g Brot
100 g Dörrfleisch
1 mittelgroße Zwiebel
Salz
Kümmel
2 EL süße Sahne

Das Brot wird in Wasser so eingeweicht, daß es gut bedeckt ist. Anschließend wird es auf kleiner Flamme zum Kochen gebracht und durch ein Sieb gestrichen, die dabei entstehende Masse soll dickflüssig sein.
In der Zwischenzeit wird das Dörrfleisch gewürfelt und in einer Pfanne ausgebraten, die kleingeschnittene Zwiebel wird in diesem Fett glasig gedünstet.
Das Fleisch mit den Zwiebeln in die Suppe geben, mit Salz, Kümmel und der Sahne kräftig abschmecken.

Mein Tip

Oft entdecken wir ein trocken gewordenes Brot. Der Gartenfreund mag es auf dem Kompost landen lassen, der Suppenfan weiß nun Besseres damit anzufangen.

Das schöne Dialektwörtchen »schepp« steht für zweierlei im Hessenland: Wir kennen den »scheppen Turm von Pisa«, aber auch das Spatenscheppen. Scheppklöße allerdings können beide Bedeutungen beinhalten, können einem schief geraten, und um sie aus dem kochenden Wasser herauszuholen, bedient man sich hierzulande eines Schepplöffels, auf gut hochdeutsch: eines Schöpflöffels.

Scheppklöße

Man nehme:

300 g Mehl
3 Eier
1 Msp. Backpulver
1 Msp. Salz
1/8 l Milch
1 TL Salz

Das Mehl, die Eier und die anderen Zutaten werden mit einem Mixer oder Handrührgerät gut vermischt, bis ein steifer Teig entsteht.
In einem großen Topf wird Wasser mit einem 1/2 Teelöffel Salz zum Kochen gebracht.
Nun werden mit einem Teelöffel vom Teig kleine Klöße abgenommen und in das kochende Wasser gegeben. Die Klöße läßt man im offenen Topf gut ziehen, wenn sie oben schwimmen, sind sie gar.

Mein Tip

Dazu reicht man ausgebratenes Dörrfleisch mit einer gedünsteten Zwiebel und zerlassener Butter.

Als Fastenessen, so schrieb uns ein Stammhörer, greife er zu Kartäuserklößen. Im Rezept ist die obligate Kloßsoße nicht aus Wein, sondern, man denke an die Kalorien, aus Apfelwein zubereitet:

Kartäuserklöße mit Apfelweinsoße

Man nehme:

für die Klöße:

8 altbackene Brötchen
6 Tassen Milch
4 Eier
Paniermehl
Öl
Zimt
Zucker

für die Apfelweinsoße:

1 Glas Apfelwein
2 EL Rosinen
2 TL Speisestärke
2 Eiweiß

Die Brötchenkrusten werden abgerieben und die Brötchen werden geviertelt in eine Schüssel gegeben.
Milch und Eier werden zu einer Soße verrührt, in der die Brötchen eingeweicht werden, sie sollten aber nicht zu schwammig dabei werden.
Die Brötchen aus der Soße nehmen und in der abgeriebenen Kruste und dem Paniermehl wälzen, anschließend werden sie in heißem Fett goldgelb gebacken.
Die Klöße werden in einer Zimt-Zucker-Mischung gewälzt.
Der Apfelwein wird erhitzt, die Rosinen werden hineingegeben.
Die Speisestärke wird mit etwas Wasser verrührt, zum Wein gegeben und dieser angedickt.
Auf die fertige Soße kommen 2 steif geschlagene Eiweiß, die man mit einem Schneebesen vorsichtig unterhebt.

»Wohin treibt das Leck?«

Kürzlich haben wir bei einem Redaktionsfest ein Band abgehört, auf dem die heitersten Reportagen einer Kollegin aufgezeichnet sind.
Was beim Bildhauer der Patzer mit dem Meißel, beim Zeitungskollegen der Druckfehlerteufel, ist bei uns zwangsläufig der Versprecher oder das falsch eingesetzte Wort, unter Livestreß keine Seltenheit.
Auf besagtem Bändchen verkündet die Kollegin dem Hörerpublikum: »Wenn es jetzt ein bißchen laut wird, liegt das daran, daß die Tür kläfft.«
Eigentlich hätte sie klaffen müssen, doch so hat's sicherlich auch jeder verstanden. Von der gleichen Kollegin stammt auch die Definition des Wörtchens »Wendebettwäsche«. Vom Moderator befragt, was denn das große Wendebettwäscheangebot auf der Frankfurter Intertex zu bedeuten habe, lautete die Antwort: »Diese Wäsche ist von beiden Seiten bedruckt und hat den Vorteil, daß sie umgedreht werden kann, was ja besonders für Junggesellen praktisch ist, weil dann die andere Seite ungewaschen benutzt werden kann.«
Ein routinierter Kollege versprach sich, bei einem Professor als Studiogast, wie folgt: »Herzlichen Abend, wohl bekommen in unserem Studio.«
Ein anderer, der in bildhafter Sprache einen leibhaftigen Bundesminister fragen wollte, wohin

das »lecke Rentenschiff treibe«, sagte: »Wohin treibt es denn, das Leck?« Der Minister fühlte sich überfordert und verstand nicht. »Ich meine, das Schiff«, verbesserte sich der Kollege, schaffte die Frage aber erst im dritten Ansatz: »Das lecke Rentenschiff, wollte ich sagen.«
Was ein Sprecher unseres Hauses in den Elf-Uhr-Nachrichten aus dem »Hessischen Minister für Landwirtschaft und Forsten«, prompt errötend, gemacht hat, läßt sich mit etwas Phantasie nachvollziehen.
Nachdem wir Sie über Scheppklößchen informiert haben, ohne uns zu versprechen, sollen nun die Schwemmklößchen folgen. Sie werden zwar auch ausgescheppt, müssen aber erst eine Schwemme bilden, bitte schön.

Erbsensuppe mit Schwemmklößchen

Man nehme:

für die Klößchen:

1/4 l Milch
25 g Butter
Muskat
Salz
125 g Mehl
2 Eier

für die Suppe:

1 Zwiebel
100 g Dörrfleisch
2 EL Öl
2 EL Mehl
1 l Milch
1 große Dose Erbsen oder
450 g TK-Erbsen
2 EL kleingehackte Petersilie

Die Milch wird erhitzt, die Butter hineingegeben und eine Prise Muskat und Salz daruntergerührt. Das Mehl wird sachte hineingerührt, bis sich am Topfboden eine weiße Schicht bildet und der Teig sich vom Boden löst.
Der Topf wird von der Herdplatte genommen und nacheinander die Eier unter den Mehlkloß gerührt und beiseite gestellt.
Die Zwiebeln werden geschält und ebenso wie das Dörrfleisch in Würfel geschnitten. Im erhitzten Öl wird das Dörrfleisch angebraten, die Zwiebelwürfel dazugegeben und angedünstet.
Nun geben wir das Mehl dazu und schwitzen es kräftig an, dabei muß kräftig umgerührt werden. Die Milch wird nun langsam und unter ständigem Rühren dazugegeben und aufgekocht.
Das Erbsenwasser wird abgegossen, die Erbsen in die Suppe gegeben und gut gerührt.
Aus der Klößchenmasse werden mit einem Teelöffel kleine Schwemmklößchen geformt, in die köchelnde Suppe gegeben und in 5 bis 10 Minuten ziehen die Klößchen gar. Die Suppe wird abgeschmeckt und mit der Petersilie bestreut.

Der eine schnallt's, der andere tickt's

Journalisten, das kann man sich denken, sind bemüht, die Hand am Puls der Zeit zu haben. Da bleibt nicht aus, daß man mit der Zeit und der Zeitsprache geht, sich anpaßt. Und schon muß man sich in seinen Beiträgen davor hüten, einem zu unterstellen, er habe etwas nicht richtig getickt, das Thema nicht geschnallt, er sei nicht ganz auf der Reihe gewesen und könne überhaupt weder sich noch seine Meinung auf den Punkt bringen. Obwohl der Spruch von der »Schicki-Micki«-Gesellschaft schon gang und gäbe ist, heißt es aufpassen: Die gesamte Kundschaft kann mit solchen Neukreationen nicht immer was anfangen, sie – na ja – schnallt es nicht. Und so gehen dann Formulierungen über den Sender, die eigentlich den alten Herrn Duden zur Tobsucht animieren müßten, bekäme er sie mit, »tickte« er sie:

Da ist die berühmte »konspirative Wohnung« zu nennen, obwohl doch eigentlich jedem klar sein müßte, daß eine Wohnung sich kaum konspirativ verhalten kann. Korrekt müßte es heißen: »Wohnung von sich konspirativ verhaltenden Personen«. Da dies, sagt sogar das Bundeskriminalamt, dämlich klingt, bleibt es bei der Falschfassung. Demnach ist auch die »dreckige Autowaschanlage« zugelassen, obwohl sich über den Bundeszankapfel »Atomare Wiederaufarbeitungsanlage« streiten läßt. Schließlich handelt es sich ja nicht um eine pulverisierte, nur unter dem Mikroskop erkennbare Anlage im Mini-Atomformat, sondern, korrekt, um eine »Wiederaufarbeitungsanlage für abgebrannte Brennelemente«, kurz »WAA«.

Deshalb wollen wir es nicht so eng sehen, wenn uns nun folgendes Gericht auf den Tisch kommt:

Grüner Bohneneintopf

Man nehme:

- 500 g Rind- oder Schweinefleisch
- Pfeffer, Salz
- 2 EL Öl
- Zwiebeln
- 1 l Rindsbrühe
- 750 g grüne Bohnen
- 500 g Kartoffeln
- Tomatenmark

Das Fleisch wird gewürfelt, mit Pfeffer und Salz gewürzt und im Öl angebraten.

Die Zwiebeln werden feingewürfelt und zum Fleisch gegeben. Nun wird das Ganze mit Brühe aufgefüllt, bis alles bedeckt ist.
Wir lassen das Fleisch kochen, bis es halbgar ist und geben dann die geputzten Bohnen und die kleingeschnittenen Kartoffeln dazu. Wenn alles gar ist, wird mit Tomatenmark, Salz, Pfeffer und etwas Brühe nochmals abgeschmeckt.

Rat und Tat von HR-1

Das Bohneneintopfrezept verdanken wir Helene Donges, einer blinden Hörerin. Wir möchten das zum Anlaß nehmen, einmal über Minderheiten zu sprechen, denen wir auch einen Teil unserer Berichterstattung widmen.
Mancher mag sich wundern, daß wir tönende Ampeln für Blinde im Programm vorstellen, treppenkletternde Rollstühle, Selbsthilfegruppen für Parkinsonkranke und ähnliches mehr. Wundern deshalb, weil er sich sagt, was geht das mich an, ich bin doch kerngesund.
Nur: Auch mancher Blinde war einmal sehend, mancher Langzeitkranke jahrelang gesund. Deshalb verzichten wir bewußt in unserer Sendung auch einmal auf eine wichtige Stadtverordnetenversammlung in einer wichtigen hessischen Stadt mit wichtigen Themen, weil wir eines wissen: Kaum ist die Selbsthilfegruppe, die neue Methode an der Marburger Blindenschule, der kletternde Rollstuhl vorgestellt, klingeln die Redaktionstelefone, findet das statt, was wir Hörerbindung nennen. Und dann macht es uns froh, wenn wir weiterhelfen können mit Rat und Tat, mit Preis und Adresse, mit einem ersten Kontakt.
Für viele von Ihnen wird auch folgende kulinarische Begegnung aus dem Marburger Raum ein Erstkontakt sein:

Zwiebelnetz

Man nehme:

- 100 g geräucherten Schweinebauch
- 5 mittelgroße Zwiebeln
- 2 EL Mehl
- ½ bis ¾ l Fleischbrühe
- Salz
- Pfeffer
- Essig
- 500 g rote, oberhessische Mettwurst
- 500 g Pellkartoffeln

Der Speck wird in mitteldicke Scheiben geschnitten und in einer Pfanne ausgebraten. Dann werden die in Ringe geschnittenen Zwiebeln dazugegeben und angebräunt.
Alles wird mit dem Mehl bestäubt und mit der Fleischbrühe aufgegossen.
Wir lassen das Ganze aufkochen und schmecken es mit Salz, Pfeffer und Essig ab.
Die Mettwurst wird in 4 Portionen geteilt und in der Suppe erhitzt. Dazu gibt's die Pellkartoffeln.

Mein Tip

Gebratene Mett-, Leber- oder Blutwurstscheiben mit Rührei und Kräutern auf Toast oder Salat sind gut für den überraschenden Hunger zwischendrin.

Erst die Hektik – dann die Sendung

Wie ein ordentliches Essen entsteht, wissen Sie, wie eine ordentliche Sendung entsteht, soll verraten werden.
Die Schreibtischtäter vom Dauerdienst sind Norbert Schreiber und der Schreiber dieser Zeilen, die sich ihre Vorliebe fürs Rundfunken genauso teilen wie gelegentliche Blicke ins Burgunderglas.
Mit von der Partie ist die Damenriege der Reportercrew: Ulrike Holler, femininer, weil längstgedienter Platzhirsch, Claudia Sautter, Beate Jacobi. Jan Metzger und Holger Senzel, Michael Best und Jens-Peter Paul, Thomas Klee und Rainer Götze gehören zur maskulinen Mutterhaus-Stammbesatzung. Unter der Ägide von Rainer Dinges kooperieren Thomas Pier und Walter Kraus aus der Landeshauptstadt, Peter John mit Mannen und Damen aus Bensheim, Heinz Schönhals mit seiner Nordhessencrew; Andreas Roosen aus Fulda und demnächst Jörg Riemenschneider aus Wetzlar mit der »UiH«-Redaktion. Hanne Klappers, Anita Schwappacher, Marion Mussack und Karin Stemler gehören zur allmächtigen Sekretariatstruppe, mit den Kolleginnen und Kollegen von »Passiert-Notiert« wird ebenfalls kooperiert. Karlheinz Send als

»Chef vom Dienst« wäre zu nennen, Hans-Jürgen Tietze, das war streng nach Seniorität, Birgit Schamari, vom UiH-Reporterstuhl zum Redakteurssessel gewechselt, Dirk Krüger und Rainer Sütfeld – alle lassen schön grüßen. Wenn der Chef des Ganzen zum Schluß genannt wird, liegt es daran, daß er ein neuer Chef ist, Peter Pistorius, langjähriger Korrespondent in Rom, der Zeitfunkboss. Wären noch die regionalen Korrespondenten zu nennen, Rücksichten auf die gesamte Technik, den Übertragungsdienst, Ost- und Hauptpförtner, Fuhrparkkollegen und Meßdienstingenieure zu nehmen – darüber machen wir vielleicht das nächste Buch. Daß wir alle wichtigen Chefs jetzt weggelassen haben, liegt daran, daß es kein Chef-, sondern ein Kochbuch sein soll mit Hintergrundinformationen aus der Tagesarbeit.
Die startet bei »Unterwegs in Hessen« um Acht in der Früh. Zuerst, dies Ritual muß sein, wird Kaffee aufgesetzt, während der kocht (Man nehme 1 Liter Wasser, 1 Filter...) werden die Meldungen ab 18 Uhr des Vorabends bis zur Morgenstunde durchgeackert, rufen Kollegen an, wird abgestimmt und abgesprochen, wird der »Aufmacher« festgelegt, das erste Thema im Programm, kommt der große Poststapel mit erfreulicherweise vielen Hörertips und -ratschlägen, werden Termine ein- und aussortiert und wird Kaffee getrunken.
Um Schlag neun Uhr kommt die Morgenkonferenz. Wir tragen unsere Themen vor, aktuelle Vorschläge kommen von Reporterinnen und Reportern, Ideenaustausch findet statt, »Passiert-Notiert«-Kollegen weisen darauf hin, was vier Stunden und zehn Minuten später in ihrer Sendung Sache sein soll.
Nach der Konferenz wird der Fahrplan auf den letzten Stand gebracht, die Ü-Wagen rücken mit Reporterinnen und Reportern aus, Schreibmaschinen klappern, im Produktionsstudio »B« rotieren die Teller auf den Bandmaschinen, die Stunde der Hektik ist angesagt. Zwischendrin werden Regionalzeitungen auf die Schnelle quergelesen, Hessennachrichten, Themen noch »angeleiert« – also, um ehrlich zu sein: Da geht's für alle erstmal rund. Der Fahrplan steht fest, wird geschrieben, der Senderegisseur festgelegt, Moderatorin/Moderator tippen Ansagen, es geht zu wie kurz vorm Bundesligaspiel. Um fünf Minuten vor zehn Uhr heißt es im Eilschritt ins Studio marschieren – und dann startet »UiH«.
Abgesehen von dem, was noch dazwischenkommt, ausfällt oder aus Gründen der Aktualität noch in die Sendung hinein muß, ist inzwischen der Kaffeetopf leer. Um 11 Uhr 50 haben wir es hinter

Mit Koffein und Nikotin kriegen wir die Sendung hin!

uns – und starten nach der Mittagspause mit den Vorarbeiten für den nächsten Tag. Dann gibt's die Mittagskonferenz um 14.45 Uhr, Pro und Contra, Kritik, auch mal Lob, wird die Planung für den nächsten »Unterwegs-in-Hessen«-Tag vorgetragen und die für «Passiert-Notiert II«.
Fruchtbare, manchmal auch furchtbare Diskussionen entzünden sich, die Beitragslänge von 3 Minuten 30 Sekunden wurde nicht gehalten, soll man den Stenografenwettbewerb wahrnehmen oder lieber die Razzia im Bahnhofsviertel, interessiert das die Hörer, was ist mit der Froschwanderung, was bringt die Fragestunde im Landtag und warum hat der Tagesmoderator gesagt: »Kaufen Sie nur Milch aus hessischen Brauereien?«
Zwischenzeitlich diskutieren wir, ob die Maikäferplage im Lampertheimer Wald als nostalgische Renaissance anzusehen ist oder ob wir im Programm auf Fremdworte verzichten sollen, ob der Bürgermeister von A. Kindergarteneltern zu Recht verbietet, den Kindergarten zu betreten, und ob es sinnvoll ist, die 850-Jahr-Feier der Gemeinde K. darzustellen, wenn doch die Gefahr besteht, daß demnächst weitere 39 Kommunen – gleiches Recht für alle – einen Beitrag über ihre 850-Jahr-Feier verlangen.
Ein Kommunalpolitiker hat 20 Autos aufgebrochen, ein Bürgermeister mehr Geld als erlaubt ausgegeben, ein Polizist auf einen Autodieb geschossen, ein SPD-Mann Zigeuner aus der Stadt gejagt und die FDP reklamiert fernmündlich, die Anwesenheit des Herrn Vorsitzenden in Hessen sei nicht genügend berücksichtigt worden.
Die Pressesprecherin eines Pharmakonzerns hat sich zu einem Informationsbesuch angesagt, Frau K. aus L. findet die Musik zu schräg, ein Landrat reklamiert Unausgewogenheit, Dr. Sch. fordert: »Weiter so« und das dritte Thema in der ersten Sendestunde hätte, wenn überhaupt, mehr Hessenbezüge haben müssen und ansonsten sei daran zu erinnern, daß die Redaktion irgendjemand zu benennen habe, der an den ausstehenden Tarifverhandlungen teilnehme.
Der Korrespondent X. will wissen, ob er für seine Bandmaschine einen kompatiblen zweiphasigen Stecker für ein SD-21 Mikrofon haben könne, in der Herrentoilette löste sich zum dritten Mal in zwei Tagen der Wasserhahn und läßt einen Kollegen baden gehen, der Volontär K. hat keine Töne auf dem Band und aus Mörfelden kommt ein anonymer Anruf, wir sollten uns mal kümmern um, dann wird der Hörer aufgelegt, also: redaktionstypisch – nicht nur für uns.
Hektik gibts in diesem Geschäft überall, bei Zeitungen, beim

Fernsehen, bei allen Medien. Und allesamt wären wir nach solchen Situationen gut beraten, könnten wir zwecks Atzung und Ruhepause zu einem Snack greifen, der in Thüdinghausen erfunden wurde und auf den es (angeblich) Geschmacksmusterschutz gibt:

Vespertoast

(für 1 Person)

Man nehme:

- 2 Scheiben Toastbrot
- 1 Scheibe Leberkäse
- Mayonnaise
- Tomatenketchup
- einige geröstete Zwiebelringe
- 1 Scheibe Schmelzkäse
- 1/8 l Milch
- 3 Eischeiben
- 3 Gurkenscheiben
- etwas Petersilie

Eine Toastscheibe wird mit Leberkäse belegt, der Rand des Leberkäses wird mit Mayonnaise bedeckt.

Das Tomatenketchup kommt in die Mitte und wird mit den gerösteten Zwiebelringen bedeckt.

Auf diesen »Hessenburger« kommt die Käsescheibe, den zweiten Toast weichen wir kurz in Milch ein und legen ihn auf den ersten Toast.

Nun geben wir ihn solange in den Backofen, bis der Käse zu schmelzen beginnt. Wir nehmen ihn dann heraus und garnieren ihn mit Ei-, Gurkenscheiben und der Petersilie.

Dieser Toast »bringt es«, wie man so schön sagt, obwohl er nicht nach Kalorienmengen aussieht. Wie, und damit sind wir wieder bei unserem täglichen Funkbrot, »bringen« es eigentlich Reporterinnen und Reporter, wie wird man das, kommt man ran an diesen Job, der für viele mehr Berufung denn Beruf ist.

Drängt es Tochter oder Sohn zur Schreiberei, sei ein früher Start angeraten. Fast alle Regionalzeitungen beschäftigen freie Mitarbeiter für die Tagesarbeit, ein Telefonat mit dem Lokalchef ergibt oft eine Gelegenheit.

Reporter fallen nicht vom Himmel

Zum einen verlangen die gestrengen Regeln unseres Hauses ein abgeschlossenes Hochschulstudium und ein Volontariat, also eine gute Portion geistiges Rüstzeug. Vor Jahren sah das noch anders aus, wurde nach dem Studium nicht so sehr gefragt, doch mittlerweile hat sich das Angebot an Akademikern so erweitert, daß auch die Rundfunkanstalten die Ansprüche hochschrauben. Durch den Zugriff auf die Jungakademiker ergibt es sich fast automatisch, daß gerade Soziologen, Politologen und Germanisten in den Reporterberuf hineinwachsen, mit 26, 27, 28 Jahren starten.

Dies nicht als Festangestellte, sondern zunächst als freie Mitarbeiter, später als sogenannte »feste Freie«, da hat man einen umfangreichen Vertrag mit einer Reihe sozialer Absicherungen in petto. Dahinter steht zugegebenermaßen der vom jeweiligen Sender gewünschte Leistungsdruck – je mehr ein Reporter an Ideen entwickelt und realisiert, desto höher die Habenseite auf dem Bankkonto. Der »freie Unternehmer« Reporter bietet also dem Sender seine Arbeitskraft an und lebt – meistens recht gut – davon.

Sicher wird er, wird sie dann irgendwann nach hektischen Reporterjahren einen Redakteursstuhl anpeilen und damit die Festanstellung und eine Umorientierung in der journalistischen Verantwortung.

In den Reporterjahren, gleich zu Beginn, merkt man rasch, daß in Funkhäusern anders gearbeitet wird als in Zeitungsredaktionen mit den klassischen Ressorts Lokales, Politik, Sport, Feuilleton, Nachrichten, Kirche, Garten etc. Der Zeitfunkreporter muß den Börsenpreis des Deutschen Buchhandels bzw. dessen Überreichung, eine eigentlich feuilletonistische Arbeit, mit der Seriosität des Rezensenten übertragen und Stunden später mit dem Ökobauern über die Scholle wandern. Zwar haben auch wir die klassischen Ressorts im Haus, doch das sind Schwerpunktredaktionen mit eigenem Senderahmen. Im Klartext: Der Zeitfunkmann, die Zeitfunkfrau sollen multifunktional einsetzbar sein, und das nicht nur im Bereich Hessen.

Gefragt ist die junge Mannschaft ebenso für die beiden anderen Zeitfunksendungen »Passiert-Notiert«, aber auch für Auslandseinsätze. Da jettet mal einer in die

Karibik zu einem havarierten Öltanker, um über die anstehende Ölpest zu berichten, ein Kollege richtet sich für die »bunte« Berichterstattung der Fußball-WM in Mexico ein. Diese großen Einsätze werden mit den ARD-Sendern abgesprochen, Kolleginnen und Kollegen werden dann unisono für alle Sender tätig.

Einsatz vor Ort

Am Beispiel der »Komet-Halley-Nacht« läßt sich ein solch harter Reportertag aufzeigen. Nach umfangreichen technischen Vorarbeiten und einer Fülle von Fernschreiben an alle ARD-Sender war es am 13. März 1986 soweit. Der HR als regional zuständiger Sender berichtete vom 13. ab 10.00 Uhr bis zum 14. um 3.30 Uhr morgens durchgehend vom »Tatort« ESOC in Darmstadt, dem europäischen Weltraumkontrollzentrum.

Im Pressezentrum des ESOC gab es einen eigenen HR-Raum mit Monitor, Schreibmaschine, Mikrofon, Stoppuhr, Kopfhörer und einer Fülle von Hintergrundmaterial – und um 10.09 ging's los, kam der erste Bericht über die Standleitung für »Unterwegs in Hessen«. Inzwischen wollte die Wirtschaftsredaktion des NDR einen Bericht über wirtschaftliche Hintergründe der Giotto-Mission, wollten SWF-3 und SDR-1 Drei-Minuten-Berichte, wenn's geht von lockerer Machart, sagte der Bayerische Rundfunk, der die Nachtversorgung 14 Stunden später hatte, als er 3 bis 4 Berichte abonnierte. Landesfunkhäuser, also regionale Studios, riefen Berichte ab, der HR meldete sich mehrfach mit vorgeplanten Wünschen, die wissenschaftlichen Unterlagen waren mit Leberwurstresten und Kaffeeflekken garniert, ESA-Chef Professor Reimar Lüst sollte interviewt werden, die Technik-Kollegen sagten über Funk Bescheid, daß der Reporter rasch zum Ü-Wagen kommen muß, Forschungsminister Riesenhuber kam 10 Minuten später als geplant, wo ist das Mikro, wer zieht die Strippe, gleich wird der Satellit »Giotto« die ersten Bilder senden, das muß live im Ton übertragen werden, er sendet aber noch nicht, also reden, informieren, Wortbrücken schlagen, bis es soweit ist.

Der WDR rief an und wollte um 6.30 Uhr einen resümierenden Frühkommentar, der SFB auch einen um 7.15 Uhr, zwischen 6.00 und 6.30 Uhr sollte noch ein Sammelangebot mit den Ereignissen der Nacht an die gesamte ARD überspielt werden und die Sekretariatskollegin Christel kämpfte schon eine halbe Stunde um Kaffeenachschub, aber es gab nur Obstsalat.

Dann kamen die ersten Bilder aus dem Weltraum, man war mitten drin im Berichten – da zerknallte ein Staubkorn Millionen Kilometer weiter die Kameralinse und es mußte, auch wenn es nichts zu sehen gab, weiterberichtet werden, denn die bundesdeutsche Radionachtkundschaft will ja auch über Kameraaussetzer informiert werden.

Vorbereitete Papiere mit Risikoberechnungen halfen nun, daß es weiterging, jetzt war der Kaffee doch noch da, aber keiner hatte Zeit, ihn zu trinken, 220 Kolleginnen und Kollegen aus aller Herren Länder mußten Seher, Leser, Hörer bedienen.

Eineinhalb Stunden Nachtruhe sind irgendwann eingeplant, fallen zur Hälfte aus, denn der Anrufbeantworter hatte 4 Gespräche registriert, könnte ja dienstlich sein, die mußten noch abgehört werden.

Einsätze dieser Art sind nicht die Regel, aber auch nicht selten, wenn wir den Berichterstattungsplatz Frankfurt im Auge haben. Hier landet die jüngst entführte Maschine, wertet die Bundesbank den Dollar auf, hat ein Pharmakonzern bundesweiten Ärger, erstrahlt die Stadt zu neuem Kulturglanz mit gigantischen Museumsprojekten, sorgt eine Startbahn-18-West noch immer für Unruhe, gibt es den Wohnsitz des ersten grünen Ministers der Republik und, und, und...

Der Kampf mit dem hessischen Idiom

Wie sensibel die Hörerschar reagieren kann, merkt man schon an den verschiedenen, auch über den Sender »gegangenen« Ausspracheformen für Apfelwein. Da plädieren erregte Anrufer für »Äpfelwoi«, andere für »Abbelwoi«, wieder welche für »Stöffche« und sonst gar nichts. Für in Hessen geborene Rundfunkleute ist es oft schwer, den heimischen Klang vor dem Mikrofon zu unterdrücken. So hat ja der Hesse seine Dauerprobleme mit »ch« und »sch«, besonders dann, wenn sie dicht aufeinander folgen, wie bei griechisch zum Beispiel. Da kommt's denn schon mal vor, daß eine Kollegin vor dem Angstgegner paßt und aus einer »griechischen Untersuchungskommission« eine »Untersuchungskommission aus Griechenland« macht. Es läßt sich darüber streiten, ob das korrekt ist, wie Hessen-Feinschmecker auch höchst unterschiedlich dem Handkäs' mit Rezepturen zu Leibe rücken. Die klassische Lösung, Menge je nach Bedarf, sieht wie folgt aus:

Handkäs' mit Musik

Man nehme:

- Harzer Käse
- Kümmel
- Apfelwein
- Essig
- Öl
- Zwiebeln

Der Harzer wird dicht nebeneinander in einen Tontopf gelegt, mit einem Hauch zerstoßenen Kümmel versehen und vorsichtig mit Apfelwein beträufelt.
Und so wird bis oben an den Rand des Tontopfes geschichtet: Käse, Kümmel, Apfelwein, Käse... Nach 2 Tagen wird der Harzer aus dem Tontopf genommen und mit einer Essig-Öl-Vinaigrette und feingehackten Zwiebeln serviert.

Mein Tip

Wenn Sie beim Einkauf schon darauf achten, daß der Handkäse »dorch« ist, schmeckt er am besten. Wenn Sie keine Zeit mehr haben, den Käse einzulegen, läßt er sich aber auch weichbekommen, wenn er einige Stunden vor dem Essen in einer Marinade aus Essig und Öl mit Zwiebeln in einem zugedeckten Töpfchen ruht und schön durchziehen kann.

Von den Hessen sollte man trotz ihrer Vorliebe für herben Abbelwoi und Handkäs' mit Musik nicht annehmen, daß sie keine Schleckermäuler sind.
Eine feine Kalorienbombe mit pikantem Geschmack sind:

Johannisbeerschnitten

Man nehme:

- 6 Eier
- 150 g Zucker
- 180 g gemahlene Haselnüsse
- 1 EL Mehl
- 1 EL Semmelbrösel
- ½ Glas Schwarze-Johannisbeer-Marmelade
- 1 Becher Schokoladenglasur
- einige Haselnüsse

Wir trennen die Eier und schlagen das Eiweiß zu Schnee, die Eidotter werden mit dem Zucker, den Haselnüssen, dem Mehl und den Semmelbröseln vermischt, der Eischnee untergehoben.
Auf ein gefettetes Backblech wird nun die Masse gegeben, gleichmäßig verteilt und im Ofen bei rund 180°C 10 bis 15 Minuten gebacken.
Nach dem Herausnehmen den Kuchen abkühlen lassen, mit einem Kuchenmesser vom Blechboden lösen und in der Mitte durchschneiden. Eine Hälfte wird mit Johannisbeermarmelade eingestrichen, die zweite daraufgesetzt und diese mit der geschmolzenen Schokoladenglasur bepinselt.
Der Kuchen wird in kleine Schnittchen zerteilt, diese können noch mit Nüssen garniert werden.

Jüngst hatte die Hälfte der Redaktion ein ähnlich süßes Erlebnis, nachdem uns eine treue Hörerin eine Kostprobe ihres Hummelhonigs geschickt hatte. Im Vertrauen auf sich bald bessernde Umweltbelastungszeiten hier das ungewöhnlich attraktive Rezept:

Hummelhonig (Löwenzahnsirup)

Man nehme:

- 3 bis 4 gehäufte Hände Löwenzahnblüten
- 2 l Wasser
- 1,5 kg Zucker
- Saft von 2 Zitronen

Die ausgezupften Blütenblätter werden im Wasser zum Kochen gebracht und gut durchgekocht. Anschließend werden sie durch ein Sieb gegossen, die Blüten ausgepreßt. Der Saft wird mit dem Zucker und dem Zitronensaft verrührt.
Nun wird die Masse unter ständigem Rühren so lange gekocht, bis sie anfängt sirupartig einzudicken. Das dauert etwa 40 Minuten.
Der »Hummelhonig« wird dann in heiße Gläser gefüllt und diese werden gut verschlossen.

Objektiv soll's sein

Daß die sogenannte »Ökoberichterstattung« bei uns einen größeren Raum einnimmt als früher, wir gerne mit umweltfreundlichen Tips bei der Hand sind und eher ungern chemische Mittel propagieren, ist schon manchem aufgefallen. Daß dies sorgfältiger Abwägung bedarf, wollen wir nicht verschweigen. Würde die »UiH«-Mannschaft nur über das berichten, was ihr selbst recht und billig ist, könnte man uns täglich absolute Subjektivität unterstellen.
So können wir weder dem Chemiefachwerker noch seinem Werksdirektor den Arbeitsplatz wegreden und wegberichten, müssen wir auch daran denken, daß das gleiche Unternehmen, das wir wegen eines rabiat zuschlagenden Pflanzengiftes auf dem Kieker haben, auch höchst wirksame Kopfwehmittelchen herstellt, die wir unbedenklich einmal selber schlucken.
So müssen wir uns oft daran erinnern, daß der Polizist, der geprügelt hat, erstens nur einer ist von vielen, die es ihm nicht gleichtun, und daß er andererseits einem Berufszweig angehört, der uns geklaute Fahrräder wiederbringen soll, bei Pannen und Unfällen hilft usw.
Kurz und gut: Es ist nicht immer leicht, es sich selbst, den Vorgesetzten und der Riesenhörerschar recht zu machen, aber: Wir bemühen uns drum, auch wenn's nicht immer jedem paßt.

Unsere grünen Landespolitiker können sich ihren beständigen Erfolg nicht ans Revers heften, dabei ist sie das Ökoprodukt par excellence: Die grüne Soße. Erstmals, alte Frankfurter wissen das, ist sie um 1860 in einem Kochbuch aufgetaucht, ähnlich wie mit den Frankfurter Würstchen ist es auch bei ihr: Die Stadt hat kein alleiniges Anrecht auf den Kräutergartenhochgenuß, jüngst ist sie in Kassel gar warm aufgetischt worden und den Verfeinerern ist bei der grünen Soße ohnehin jedes Mittel recht.

Grüne Soße

Man nehme:

¼ l kräftige Bouillon
Suppengrün
1 mittelgroße Zehe Knoblauch
2 Eier
⅛ l Pflanzenöl
1 TL Senf
Salz
Pfeffer

25 g Dill
25 g Kresse
25 g Borretsch
25 g Petersilie
25 g Pimpinelle
25 g Sauerampfer
25 g Schnittlauch
25 g Estragon
200 g saure Sahne

Die Bouillon wird mit dem Suppengrün und dem Knoblauch aufgekocht. Danach läßt man sie erkalten und siebt die Zutaten ab. Die beiden Eier werden hart gekocht, die Dotter herausgenommen und mit Pflanzenöl, Senf, Salz und Pfeffer zur einer sämigen Mayonnaise verrührt. Alle Kräuter werden gewaschen und fein gehackt. Anschließend werden sie mit der Sahne und der Bouillon unter die Mayonnaise gehoben.
Das Eiweiß wird in Würfel geschnitten, die Masse in eine Sauciere gegeben und mit dem Eiweiß dekoriert.

Mein Tip

Die »Grüne Soße« paßt sehr gut zu warmem und kaltem Rinderbraten, zu Fisch, Folienkartoffeln oder hartgekochten Eiern. Wer Kalorien sparen möchte, nehme statt Sahne Joghurt für die Mayonnaise.

»Wg. Abk.«

Aber – wir wollen ja nicht philosophieren, sondern Rezepte bringen. Bevor wir zu einem klassischen und stark wiederbelebten Gericht kommen, wollen wir doch noch einen Moment beim Dienstlichen bleiben. Sie würden ja wohl nie in einem Lokal einen »Kokä« bestellen, einen Kochkäse. Aber genau wie wir merken Sie, wie die Abkürzungswut zunimmt, mit der wir oft eigenen Ärger haben. Da schreibt uns das »KGRZ-Starkenburg«, das »Kommunale Gebietsrechenzentrum«, da gibt es neben dem ADAC (Allgemeiner Deutscher Automobil-Club) den AvD (Automobilclub von Deutschland) und den DTC (Deutscher Touring Automobil Club) und da erfindet unser eigenes Haus das ZÜTR, obwohl das Unwort »der ZÜTR«, der Zentrale

Überspiel-Tonträger, heißen müßte. Andererseits gehen wir ins Studio Gustav, obwohl das nur »G« heißt. Durch das Aussprechen der fünf Buchstaben gehen, so hat es einer ausgerechnet, in 37 Betriebsjahren exakt 8 Arbeitsstunden (umgerechnet auf 843 Mitarbeiter, die täglich dreimal sagen, daß sie nach G = Gustav gehen) drauf. Doch kommen wir zum »Kokä«, zu dem man keinen »O-Saft« trinken sollte.
Zumindest in Südhessen, speziell im Odenwald, erinnert man sich seit einiger Zeit wieder an das »Armeleuteessen«, den Kochkäs'. Eine Bauersfrau, die täglich 36 Kühe, 12 Stück Rindvieh, 14 Schweine, über 30 Hühner, 56 Hektar, einen Mann und einen Sohn zu versorgen hat, verriet uns in Ober-Modau, wie bei ihr der Kochkäs' auf den Tisch kommt:

Kochkäs'

Man nehme:

50 g Margarine
250 g Handkäse
2 Ecken Schmelzkäse
¼ l saure Sahne
⅛ l süße Sahne
1 kleine Dose Kondensmilch (Dosenmilch)
1 TL Natron
Pfeffer, Kümmel

Die Margarine wird in einem Topf leicht erhitzt, darin wird der Käse geschmolzen.
Dann geben wir die saure und die süße Sahne und die Kondensmilch hinzu und rühren die köchelnde Masse, bis sie dickflüssig wird. Nun kommt das Natron hinzu, mit Pfeffer und Kümmel schmecken wir ab.
Der noch warme Kochkäse schmeckt phantastisch zu Pellkartoffeln, aber auch warm und kalt auf einem deftigen Stück Sauerteigbrot.

Mein Tip

Selbst Paul Bocuse, der Superkoch aus Lyon, hat ja inzwischen umgedacht und ist wieder zur klassischen Regionalküche zurückgekehrt. Was auch uns animieren könnte, ein Fest mit Regionalem zu gestalten. Mehrere Kochkäs'-Parties haben Riesenerfolge gezeigt...

Angekündigt war es schon, hier ist es, das Brotrezept aus der Schmahl-Mühle, die heutige Bäuerin nennt es

Mamas Brot

Man nehme:

200 g Sauerteig (vom Bäcker)
200 ml lauwarmes Wasser
250 g Roggenmehl Type 997
125 g Buchweizenschrot
200 ml lauwarmes Wasser
400 ml lauwarmes Wasser
20 g Salz
Koriander
Kümmel
20 g Hefe
750 g Roggen-Weizen-Mischung
Sesam nach Belieben

Am Abend vor dem Backtag werden 200 g Sauerteig mit 200 ml lauwarmem Wasser verrührt.
Nach einer ½ bis 1 Stunde werden Roggenmehl und Buchweizenschrot nochmals mit 200 ml lauwarmem Wasser verrührt und mit dem angesetzten Sauerteig vermischt. Die Masse läßt man über Nacht gehen.
Am nächsten Morgen nimmt man etwa 200 g des Teiges für die Zubereitung des nächsten Brotes (wenn gewünscht) ab.

In den restlichen Teig werden nun 400 ml lauwarmes Wasser gerührt, die Hefe wird in Wasser aufgelöst und dazugegeben. Nun werden das Salz, der Koriander und der Kümmel je nach Geschmack zum Teig gegeben, alle Zutaten gut verrührt und mit dem Roggen-Weizen-Mehl zu einem Teig verknetet.
Den fertigen Teig 1 bis 2 Stunden an einem warmen Ort gehenlassen. Danach aus dem Teig ein Brot formen, in eine Form setzen und nochmals gehenlassen. Dann mit Wasser bepinseln und im auf 200° C vorgeheizten Ofen etwa 1½ Stunden backen lassen.

Mein Tip

Den zurückgelegten Sauerteig mit etwas Mehlmischung verrühren und zugedeckt im Kühlschrank bis zum nächsten Backtag aufbewahren.

Wie die Forelle auf den Golfplatz kam

Traditionsspäße wie in Handwerksberufen oder in der Gastronomie – man schicke einen Auszubildenden zu einem Nachbarrestaurant und lasse ihn 40 l blaues Forellenwasser holen – gibt's zwar im Funkgewerbe nicht, aber Spaß kommt allemal vor. So war jüngst unser Hörfunk-Sportchef beim Forellenangeln im Taunus, eine besonders prächtige biß an, nach kurzem Kampf schleuderte er die Forelle hoch zum Uferrand – doch Haken samt Schnur und dranhängender Forelle rissen und der Leckerbissen sauste auf den benachbarten Golfplatz, der Kollege hinterher. Von zwei Golfern gefragt, was er hier zu suchen habe, immerhin trug er Gummistiefel bis zum Bauch, erklärte er wahrheitsgemäß: »Meine Forelle, die Herren.« Nachdem er unwirsch in die Flucht geschlagen wurde, klärte sich die Sache auf. Die Forelle wurde dann wie folgt zubereitet:

Gebratene Forellen

(für 1 Person)

Man nehme:

1 Forelle
Zitronensaft
Öl
Butter

Die Forelle wird innen mit Zitronensaft beträufelt, dann in der Öl-Butter-Mischung sachte gebraten, wobei man sie beim Hochwölben vorsichtig an den Pfannenboden drückt. Wenn das Fleisch weiß und fest ist, ist die Forelle gar.
Zu Petersilienkartoffeln serviert, ist dies – besonders für Bauchinhaber – ein empfehlenswertes, kalorienarmes und gesundes Gericht.

Daß sich mit Forellen mehr anfangen läßt, man »Haute Cuisine«, also große Küche, damit zaubern kann, wird gleich bewiesen – es ist eines der großen Mogelrezepte, denn Sie wissen ja: Nur selbstgemachte Klöße (aus der Fertigpackung) sind die besten, ähnlich verhält es sich mit Braten- und Fischfonds, Soßen und Süßem.

Forellenmousse

Man nehme:

2 geräucherte Forellenfilets
4 Mokkatäßchen
etwas Butter
Zitronensaft
1 Bund Dill

Die Filets werden mit dem Fleischwolf oder in der Küchenmaschine püriert, beim Fleischwolf muß es eine ganz feine Scheibe sein. Man verteilt die Masse auf die vier mit Butter ausgefetteten Mokkatäßchen.
Die Tassen werden in ein Wasserbad gestellt und etwa 15 Minuten gegart.
Anschließend wird die Forellenmousse auf einen Teller gestürzt, mit Zitronensaft beträufelt und mit feingehacktem Dill bestreut.

Diese »nach eigenem Geheimrezept hergestellte« Forellenmousse hat durch die geräucherten Filets einen ganz besonderen Geschmack. Ein gut geschulter Mogler serviert mit lässiger Haltung und nimmt unterkühlt die Komplimente entgegen. Nach gleicher Mogeltaktik läßt sich auch mit einem Mehr an Forelle eine größere Schüssel füllen, allerdings pflegt die Mousse dann meist einzureißen und sieht nicht mehr so lecker aus.
(Mit gewissen Fertigklößen läßt sich das gleiche Spiel treiben, ganz gerissene Zeitgenossen sollen sogar Billigcognacs in teure Leerflaschen abfüllen und auch Erfolg damit haben!)

Heute gibt es Bandsalat

Kaum gemogelt wird im Funkbetrieb bei der Herstellung des gerüchteweise schon bekannten Bandsalates, eines Kollegen des Druckfehlerteufels. Im Gegensatz zu geplanten Koch- und Eßaktionen stellt sich der Bandsalat stets in etwas aufdringlicher Manier dar – er entsteht unerwünscht, obwohl die Zutaten immer vorhanden sein müssen.

Bandsalat »Unterwegs in Hessen«

Man nehme:

1 eiligen Termin
1 Übertragungswagen
2 gut abgehangene Techniker
1 eiligen Reporter
1 Tonbandgerät
2 mittelgroße Bandspulen
1 Schuß Hektik
etwas Zeitdruck
1 Funktelefon
1 Prise Schicksal

Wir bereiten den Termin unter Druck bei etwa 25° C vor, garnieren den Wagen mit Technikern und Reporter und lassen bei Ankunft vor Ort das Tonbandgerät laufen.
Nun wird es bei mittlerer Hitze in den Wagen zurückgebracht und durchgehört. Beim schnellen Vorlauf nehmen wir eine Bandspule von der Maschine, während sich die andere gut rührend weiterdreht.
Wir geben die Hektik hinzu, während das Band dreimal unter Zeitdruck reißt, lassen die Sendung ausfallen, greifen zum Funktelefon und teilen dem diensthabenden Regisseur mit: Schicksal.
(Nicht-Profis sei die Spontanherstellung des Bandsalates unter Zuhilfenahme einer 271mal überspielten, ausgeleierten Kassette und einem freudigen Vorführwunsch bei Familienfesten jeglicher Art unter Einsatz eines halbrostigen Kassettenrecorders empfohlen...)
Zu Familienfesten empfehlen wir sonst noch deftige Hausmannskost:

Sauer-Brüh

Man nehme:

2 l Fleisch- oder Knochenbrühe
2 Brötchen
2 Eier
250 bis 375 g Hackfleisch oder Schweinemett
1 zerriebenes Lorbeerblatt
1 Prise Majoran
Salz
Pfeffer
etwas Mehl

Wir bringen die Brühe zum Kochen und zerpflücken die Brötchen. Anschließend werden die Brötchen mit den Eiern, dem Hackfleisch und den Gewürzen verknetet.
Die Masse gibt man in die Brühe und läßt diese gut durchkochen. Etwas Mehl wird mit Wasser verrührt, in die kochende Brühe gegeben, umgerührt und einige Minuten durchgekocht.
Anschließend wird die Sauer-Brüh mit Salz und Pfeffer abgeschmeckt.
Im Weilburger Raum gibt's die Sauer-Brüh zum Schlachtfest.

Moderation par terre

In einem Funkhaus, wo besonders unter den Journalisten lockerer Ton auch Gebot bei Arbeitsstunden ist, wird natürlich auch geflachst. Schließlich macht es Spaß, Kolleginnen und Kollegen zu foppen, um dann über das mehr oder weniger humorige Ergebnis zu schmunzeln. So wollen wir Ihnen die Geschichte eines Kollegen aus dem Hörfunk nicht vorenthalten, der Opfer eines besonders deftigen Spaßes wurde.
Bekannt war der Plauderer zahlreicher Sendungen vor allem dafür, daß er morgens nicht aus den Federn kam, ein für Journalisten normaler Umstand. In vielen Zeitungsredaktionen ist um 9 Uhr, manchmal später, die erste Konferenz, dafür dauert es bis in die Nacht, bis der letzte Termin fürs Blatt wahrgenommen ist, die Rotationsmaschinen andrucken können. Da Zeitungen im Gegensatz zum Rundfunk keine Frühmagazine haben, ist die folgende wahre Geschichte rundfunktypisch.
Als eines schönen Morgens die Frühsendung im 1. HR-Programm vorbereitet war, fehlte nur einer: Der Moderator. Mit einem raschen Anruf war er aus dem Bett geworfen, in den verbleibenden Minuten aber hatten bösartige Kollegen noch Zeit, das damals auf einem Holzsockel stehende Studiomikrofon vom Tisch herunterzunehmen und am Boden festzuschrauben.
Als der werte Kollege zum Dienst kam (Schlafanzugjacke unter dem Trenchcoat), raste er verwirrt ins Studio, bekam Rotlicht, »Achtung Sendung«, griff sich seinen Fahrplan – und moderierte eineinhalb Stunden im Liegen.
Er hat sich dann später mehr mit Abendsendungen befaßt.

Professor Leihbuschs Schneetestmaschine

Gestatten: »Leihbusch«

Lassen Sie uns auf einen Herrn zu sprechen kommen, der sich bundesdeutscher Bekanntheit erfreut, obwohl es ihn nie gab: Herrn Professor Arne Leihbusch, vielen Menschen im ganzen Land als hochkarätiger Sportexperte bekannt. Sie erinnern sich nicht? Nun, während Sie nachdenken, könnten Sie jenes Gericht zubereiten, das Leihbusch einst in Witzenhausen verspeiste, als er dort im August 1986 das internationale Skibobturnier eröffnete:

Omelett mit Kirschen

(für 1 Person)

Man nehme:

- 4 Eier
- 80 g Zucker
- 60 g Mehl
- etwas Butter
- etwas Mehl
- 1 EL Zucker
- 3 gehäufte EL Kirschenkompott
- 1 EL Rum
- Saft von ½ Orange
- ½ Becher Schokoladensoße

Die Eier werden getrennt, die Eiweiße mit 40 g Zucker steif geschlagen. Danach werden die Eigelbe und der restliche Zucker daruntergerührt und das Mehl vorsichtig unter die Masse gehoben.

In eine mit Butter gefettete und mit Mehl bestäubte Omelettpfanne wird die Masse gegeben, leicht mit dem Zucker bestäubt und bei 180°C 10 bis 15 Minuten gebacken.

Machen Sie mit einer Strick- oder Holznadel die Garprobe.

Kirschenkompott, Rum, Orangensaft und etwas Zucker werden nun gut vermischt.

Das gebackene Omelett wird auf eine Servierplatte gestürzt, mit den Früchten belegt und einmal zusammengeklappt.

Darüber geben wir die heiße Schokoladensoße.

Mein Tip

Übers Mogeln haben wir schon gesprochen. Oft sind Gäste besonders begeistert, tauchen klangvolle Namen auf. Beim Blättern in einem Kochbuch aus der Normandie haben wir ein fast gleiches Kirschenomelett entdeckt: Clafoutis aux cerises.

Der geistigen Väter des Professors Leihbusch sind viele, Sammy Drechsel, der 1986 von uns ging, ein ehemaliger HR-Reporter übrigens, ist Leihbusch-Pate genauso wie Harry Valérien oder Heinz Mägerlein, Heinz Eil und Erwin Dittberner. Leihbusch hat, obwohl nie gelebt, längst Rundfunkgeschichte gemacht. Mal taucht er in Hörfunkberichten als Pistenmesser bei der nordischen Kombination auf, mal ist er für die Verstäubung von Pulverschnee als Mitglied eines Fachbeirats zuständig.

Von Haus aus Schwede ist der Professor ein Kosmopolit, vielsprachig und in jeder Disziplin zu Hause. Vor Jahren, so wird berichtet, hat er eine zusammenklappbare und transportable Faltkirche für wandernde Eskimos konstruiert, in manchen Sendern meldet sich Leihbusch gar am Telefon, läßt Hotelzimmer reservieren und absagen – und taucht natürlich allenthalben in Sendungen auf. Kein Intendant, kein Programmdirektor wollte und konnte gegen das Phänomen Leihbusch angehen, jetzt, da der Professor älter geworden ist, lassen gewiefte Sportkollegen ab und an mal seinen Sohn auftauchen.

Kommen wir vom weltgewandten Leihbusch in die heimatlichen Kochgefilde zurück. Der Schmierkuchen aus der Gegend um Gießen ist zur festlichen Tafel mit Sahne und Kaffee nicht geeignet, was uns der Blick auf die Zutaten verrät:

Schmierkuchen

Man nehme:

- 2 kg Kartoffeln
- 2 Eier
- 2 EL Mehl
- 4 EL Öl
- 400 g saure Sahne
- Milch
- Salz
- Pfeffer
- 500 g Brotteig (vom Bäcker)
- Speck
- Mohn oder Kümmel

Die Kartoffeln werden gekocht und geschält und mit dem Fleischwolf püriert, dann mit den Eiern, dem Mehl, dem Öl und der sauren Sahne zu einer geschmeidigen Masse vermischt, dabei wird nach und nach etwas Milch zugegeben. Die Masse wird mit Salz und Pfeffer abgeschmeckt.

Der Brotteig wird auf das mit Backpapier ausgelegte Blech gebreitet, die Kartoffelmasse wird gleichmäßig darüber verteilt. Danach wird der Schmierkuchen mit Speckwürfeln belegt und – je nach Geschmack – mit Mohn oder Kümmel bestreut.

Das Ganze lassen wir bei 220° C etwa 15 bis 20 Minuten im Ofen backen.

Passiert – glossiert

Thema: Humor. Beide Seiten, Macher und Hörer, gehen bei einem Magazin davon aus, daß es informieren soll. Sicherlich gibt es auch humorige Informationen, Versprecher von Politikern, Faschingsreden, neue und neueste Witze, Anekdoten – doch nicht ohne Grund greift ja auch der Zeitungskollege zur Witzseite mit Scherzen und Cartoons. Bei uns im Hause sind die Kollegen von U-Wort, von der Abteilung Unterhaltung-Wort, dafür zuständig. Obwohl auch wir ab und an zur Glosse greifen, wenn kein Stilmittel mehr zieht.
Wenn, wie jüngst geschehen, eine Initiative fordert, das Kernkraftwerk Kahl sollte nicht, wie geplant, abgerissen, sondern als Kernenergiemuseum erhalten bleiben, juckt's dem Glossisten in den Fingern.
Auf dem Sender schlägt er prompt vor, ähnlich doch mit Autowracks, abbruchreifen Häusern usw. zu verfahren: Nicht mehr abwracken, abreißen oder wegwerfen, sondern stehen lassen und Museen draus machen. Museen und nicht: Museums, wie mancher Hessenbub schon gesagt hat. Auch bei uns ist's manchmal ein Kampf, kommt einer mit »Zirkussen« daher. Obwohl: Die Leute vom Duden haben diesen Plural jetzt zugelassen. Wie Sie Hitschelkraut in den Plural setzen, möchten wir Ihnen überlassen:

Hitschelkraut

Man nehme:
- 1 kg Weißkraut
- 1 kleine Zwiebel
- 50 g Schmalz
- etwas Salz
- Pfeffer
- Kümmel
- einen Schuß herben Weißwein
- Mehl
- Essig

Das Weißkraut wird gehobelt und mit der kleingeschnittenen Zwiebel in dem Schmalz angedünstet. Mit Salz, Pfeffer und Kümmel wird abgeschmeckt, danach geben wir den Weißwein hinzu und lassen noch 20–30 Minuten weiterdünsten.
Anschließend wird das Hitschelkraut mit etwas Mehl bestäubt und gut durchgerührt und mit etwas Essig abgeschmeckt.
Dazu gibt's Kartoffelbrei und Speck.

Hauptsach', 's schmeckt!

Kommen wir zu einer kurzen Betrachtung der modernen Küche, eingangs gab's ja schon einen Hinweis darauf, daß unsereiner oft genug zum Essen geladen wird.
Vor fünf, sechs Jahren gab's in der Nähe des Funkhauses ein kleines Restaurant, dessen Spezialität »Schweinelende mit Himbeerdressing« war, klingt entsetzlich, gell?
Doch andererseits: Das Hawaiisteak ist ja auch mit einer Ananasscheibe garniert, Reh und Schwein verlocken mit Preiselbeeren, in der Erdbeerzeit kann man diese (köstlich) auch mit grünem Pfeffer und Sahne anrichten.
Erdbeereis mit Sahne, Erdbeeren mit grünem Pfeffer, na ja, die werden schon ihre Fans finden. Was würden Sie zu folgender Kombination sagen:
⅔ reiner Himbeersaft wird mit ⅓ Wasser verdünnt. Geht ja noch, sagen Sie? Na ja, dieses alte hessische Rezept aus dem Limburger Raum besteht nicht aus dem Drink allein. Dazu gab's, gibt's vielleicht auch noch die »Mustenwecke«, ein Brötchen mit Gehacktem.
Sie mögen sich über die kühne Kombination wundern, würden Sie vielleicht einem modernen Superkoch zutrauen, doch die Erfinder der Mischung aus Himbeersaft, Wasser und Gehacktem waren wohl selber skeptisch – das Gericht heißt »Quatsch«.
Machen wir einen Sprung von den Him- zu den Heidelbeeren. Im Fuldaer Raum gibt's den

Heidelbeerploatz

Man nehme:

300 g Brotteig (vom Bäcker)
750 g Heidelbeeren
¼ l saure Sahne
etwas Zucker

Wir rollen den Brotteig auf einem Backblech aus, lassen ihn gehen und belegen ihn dann mit den Heidelbeeren.
Das Ganze wird mit der sauren Sahne bestrichen, kommt bei 200° C in den Backofen, wo es nach rund 20 bis 30 Minuten gar ist. Der Heidelbeerploatz wird mit Zucker bestreut und serviert.

Eines der ganz leckeren und traditionellen hessischen Fleischgerichte ist sicherlich der Dippehas'.
Verkleistern die einen den Dippe mit Brotteig, damit sich vom Dippehas auch nichts in Wohlgefal-

len auflösen kann, machen es sich andere einfacher – das Rezept haben wir dem Darmstädter Kochbuch »Supp', Gemüs' unn Fleisch« entnommen:

Dippehas'-Variante

Man nehme:

5 große Zwiebeln
1 große Sellerieknolle
3 Lorbeerblätter
12 Wacholderbeeren
10 bis 12 Pfefferkörner
4 bis 5 Nelken
Salz
1 Hasen
750 g Schweinekamm
4 EL Margarine
2 bis 3 EL Mehl
1 bis 1½ Flasche herben Rotwein

Wir schneiden die Zwiebeln und den Sellerie in feine Scheiben, geben die Gewürze hinzu und lassen das Ganze ein paar Stunden in einer Schüssel ziehen.
Der Hase und das Kammstück werden in Stücke geschnitten. Die Margarine wird in einem großen Topf erhitzt und dann die Fleischstücke so lange darin angebräunt, bis sie nicht mehr blutig aussehen, etwa 15 Minuten lang. Dann geben wir die Zwiebeln, den Sellerie und die Gewürze hinzu und dünsten diese 15 Minuten lang mit.
Dann stäuben wir 2 bis 3 Eßlöffel Mehl darüber und rühren den Inhalt mehrfach um.
Den Rotwein geben wir jetzt dazu und lassen das Ganze ½ Stunde auf dem Herd kochen, dann kommt die Kasserolle bei mittlerer Hitze in den Backofen und gart 2 bis 2½ Stunden weiter.
Der Dippehas' ist zum Verzehr fertig, wenn sich das Fleisch von den Knochen löst.

Mein Tip

Kaum ein Gericht läßt sich ohne Salz herstellen. In Hessen leiden die meisten unter Jodmangel. Ein Gespräch mit Ihrem Hausarzt kann dem abhelfen: Jodsalz gibt's im Handel, fragen Sie ruhig den Medizinmann, was er vom Jodausgleich beim Kochen hält, manche Schilddrüse wird's dem Jodsalz danken.

Das große Hessen-Menü

Dieses Menü ist auch ein Ergebnis der Unterwegs-in-Hessen-live-Kocherei. Die Rezepte haben wir mit Süd-Nord-Gefälle zusammengestellt, wir beginnen also im Odenwald und landen zwangsläufig beim Dessert im Kasseler Raum.
Wie wäre es zum Auftakt mit einem fast vergessenen Süppchen, der

Ourewäller Hochzeitssupp'

Man nehme:

150 g Rindermarkknochen
200 g Weißbrot
Salz
Muskat
Petersilie
1 Ei
100 g Lauch
50 g Karotten
100 g Sellerie
2 kleine Zwiebelchen
50 g Grünkern

Dem Knochen entnehmen wir das Rindermark und passieren es durch ein Sieb. Das Weißbrot wird entrindet und durch den Fleischwolf gedreht, dann mit Salz, Muskat und feingehackter Petersilie gewürzt und mit dem Ei und dem Mark zu einer geschmeidigen Masse verarbeitet. Aus dieser werden Klößchen geformt.
Wir lassen die Markknochen einmal in heißem Wasser aufkochen und 15 Minuten ziehen.
Das Wasser wird anschließend weggeschüttet, nun setzen wir die Knochen mit kaltem Wasser auf, würzen mit einer Prise Salz, geben den gesäuberten Lauch, die geschälten Karotten, den Sellerie und die enthäuteten Zwiebelchen hinzu. Dann lassen wir die Brühe 1 Stunde lang leicht köcheln.
Wenn die Markknochenbrühe gut durchgezogen ist, gießen wir die Brühe durch ein Sieb ab. Nun wird der Grünkern dazugegeben und die Brühe einmal kurz aufgekocht, damit dem Grünkern der Biß erhalten bleibt.
Wir würzen die Suppe nach Geschmack ab und geben die Markklößchen hinzu.

Von Nieder-Modau, woher dieses Rezept stammt, spazieren wir kulinarisch weiter nach Darmstadt zum zweiten Gang:

Zwiebelkuchen

Man nehme:

250 g Mehl
100 g Margarine
200 ml Wasser
etwas Salz
800 g Zwiebeln
Margarine
5 Eier
200 g saure Sahne
50 g Räucherspeck
etwas Kümmel

Aus dem Mehl, der Margarine, dem Wasser und dem Salz kneten wir einen Teig, der gleich darauf in die Form kommt.
Dann werden die Zwiebeln kleingeschnitten und in der Margarine angedünstet. Sie werden anschließend mit den Eiern, der Sahne und dem kleingewürfelten Speck zusammengerührt.
Die Masse kommt auf den Teig und der Kümmel darüber.
Der Kuchen wird bei mittlerer Hitze ½ Stunde gebacken, bis er goldgelb ist.

Mein Tip

In der Zeit der Traubenlese mundet der Zwiebelkuchen besonders gut zu einem schönen Glas Federweißen.

Zugegebenermaßen ist man nach dem Genuß der ersten beiden Gänge bereits kräftig gesättigt. Doch wir können es ja den Franzosen gleichtun, einen Gang auftragen, die Gläser heben, plaudern und uns zwei, drei Stunden mit dem Essen verlustieren, denn »Essen mit Muße« war schon immer amüsanter als »Mampfen unter Zeitdruck«. So könnte dann das Fleischgericht auf den Tisch kommen:

Geschmorte Kalbsbrust à la Mittelhessen

Man nehme:

4 EL Öl
1 bis 1,5 kg Kalbsbrust mit Knochen (lassen Sie sich diese jedoch bereits vom Metzger auslösen)
Pfeffer
Salz
50 g Karotten
50 g Sellerie
50 g Zwiebeln
50 g Lauch
30 g Tomatenmark
100 ml trockenen Rotwein
1 l brauner Kalbsfond oder Bratensaft
100 g süße Sahne
50 g Butter

Im Bräter erhitzen wir das Öl, würzen die Kalbsbrust mit Pfeffer und Salz und braten sie von bei-

den Seiten an. Danach wird sie herausgenommen.
Die Brustknochen werden in den Bräter gegeben und unter ständigem Rühren mit einem Holzlöffel angeröstet. Die Karotten, der Sellerie, die Zwiebeln und der Lauch werden gewaschen, gewürfelt und dazugegeben.
Jetzt kommt das Tomatenmark dazu, mit Rotwein wird abgelöscht und mit dem braunen Kalbsfond aufgefüllt.
Wir geben die Kalbsbrust wieder in die Kasserolle und legen sie dabei auf die Knochen. Das Ganze wird 1½ Stunden bei 200°C gegart, dabei muß die Kalbsbrust hin und wieder gewendet werden.
Danach wird das Fleisch aus dem Bräter genommen und warmgestellt. Die Soße wird durch ein Sieb in einen Topf passiert und auf ¼ l Flüssigkeit eingekocht.
Jetzt wird die Sahne und die gekühlte Butter vorsichtig mit einem Schneebesen daruntergezogen.
Die Kalbsbrust legen wir auf vorgewärmte Teller und übergießen sie mit der Soße.

Daß die Kalbsbrust auf der Zunge zergeht, dürfte jedem klar sein. Der Rote strahlt im Glas, die Verwandtschaft strahlt auch, vermißt aber bis jetzt das Gemüse, welches wir passenderweise aus Lauch zubereiten. Das Rezept dazu kommt aus dem Fuldaer Raum.

Lauchgemüse

Man nehme:

500 g Lauch (nur die weißen Teile)
80 g durchwachsenen Speck
weißen Pfeffer
gemahlenen Kümmel
Salz
¼ l Fleischbrühe
2 EL Mehl
2 Eigelb

Der Lauch wird gewaschen und mit dem Speck in 2 bis 3 cm breite Stücke geschnitten.
Beides wird mit den Gewürzen in der Fleischbrühe 20 Minuten gekocht.
Der Lauch und der Speck werden herausgenommen, das Mehl mit etwas kalter Brühe angerührt und die Lauchbrühe damit gebunden.
Wir nehmen den Topf vom Feuer, ziehen die Eigelbe unter, geben das Lauchgemüse mit dem Speck hinzu, und servieren es in einer Schüssel.

Nach dem donnernden Applaus, den Hausherr und Hausherrin (beide haben natürlich abwechselnd gekocht, auf-

und abgetragen sowie die Gäste unterhalten!) stehend entgegennehmen, kommt nach einem Atempäuschen das klassisch-hessische Dessert. Das Rezept dazu stammt aus Kassel.

Arme Ritter

Man nehme:

- 1/4 l Milch
- 4 Scheiben Weißbrot
- 150 g Mehl
- 3 Eier
- 100 g Butter
- etwas Zucker

Die Milch wird erhitzt und die Weißbrotscheiben darin eingeweicht. Danach werden sie kurz in Mehl gewälzt.
Aus dem restlichen Mehl und den verquirlten Eiern wird ein Teig hergestellt, in den die Weißbrotscheiben getunkt werden.
Wir erhitzen die Butter in einer Pfanne und braten die Weißbrotscheiben von jeder Seite je 2 Minuten lang kräftig an. Die »Armen Ritter« kommen heiß auf den Tisch, sie werden mit Zucker bestreut, auch eine Mischung aus Zucker und Zimt schmeckt sehr gut. Ganz Raffinierte machen eine Weinsoße dazu.

Gut geplant ist halb gekocht

Fürchterlich, wird nun der eine oder andere sagen, da muß man ja stundenlang in der Küche ackern. Zugegeben, es stimmt. Aber: Es macht auch Spaß. Der Autor zum Beispiel freut sich auf jeden Kochtag. Da geht es morgens auf den Markt, meist samstags, ein übersichtlicher Einkaufszettel ist nach Rubriken geordnet, beim Bäcker, Metzger, Gemüsehändler ist längst bestellt, die gute Vorplanung läßt den Einkauf zum Spaziergang werden.
Hektisch wird's natürlich, will man ein umfangreiches Mittagessen auf den Tisch stellen, keine Chance für die sowieso seltene Langschläferei. Bei uns wird das so geregelt: Gäste kommen möglichst nur an Freitagen ab 19.30 Uhr zum Abendessen. Der Samstagvormittag gehört der Aufräumerei, eineinhalb Tage Freizeit sind dann immer noch »drin«. Ich selbst behelfe mich bei der Vorbereitung großer Essen mit einer Unzahl von Töpfchen und Behältern, in die vorbereitete Portionen so abgefüllt werden, daß sich alles rasch greifen läßt. Während die Suppe zur Vollen-

dung kommt, läßt sich mit den Gästen beim Schlückchen Sherry plauschen, vorher war der Braten schon in Arbeit, mit Hilfe eines Zettels und dem Küchenwecker in der Hosentasche läßt sich das Timing in den Griff kriegen.
Und: Zwischen jeden Gang werden ordentliche Pausen gepackt. Keine Angst vor großen Menüs, alles Planungssache und Routine.
Nur einmal ging es schief, als ein am gleichen Tag zubereiteter Fischfond, der für die Tiefkühltruhe bestimmt war, schneller in einer Gemüsesuppe landete, als es zu bemerken war. Erst das ungläubige Staunen mehrerer Gäste beim Verkosten dieser »Minestrone frutti di mare«, einer tollkühnen Neuerfindung, ließ die Panne ans Tageslicht kommen.
Übrigens, Sie erleichtern sich Ihre Küchenplanung ganz entscheidend, wenn Sie sich gerade bei großen Kochereignissen die Mengen notieren und auch eventuelle Reste nach dem Essen im Auge behalten. Diese Küchenbuchhaltung liefert bei einer großen Gästezahl über Generationen hinweg Erfahrungswerte. Wenn Gäste angesagt sind, klopft einem in Anbetracht größerer Eßereignisse oft das Herz bis zum Hals: »Ob's denen auch schmecken wird?« Spannen Sie Ihre Gäste doch auch auf die Folter und schicken Sie vorab eine wohlfeil formulierte Menükarte mit Weinen, Vor- und Nachspeisen. Abgeheftet, und vielleicht mit einem Tafelfoto versehen, ist das die perfekte Erinnerung an schöne Schlemmereien.
Den Grünkernen sind wir ja eben schon begegnet, hier noch ein echt hessischer Knödelvorschlag, der ebenfalls drauf aufbaut.

Grünkernknödel

Man nehme:

250 g Grünkern
1 TL Hefebrühe
½ l Wasser
50 g Butter
2 Weizenvollkornbrötchen
2 EL Sonnenblumenöl
2 Eier
1 TL Vollmeersalz
1 Msp. Muskat
1 Msp. Majoran
2 gehäufte EL Weizenvollkornmehl
2 l Wasser
½ TL Vollmeersalz

Der Grünkern wird feingemahlen, mit der Hefebrühe in das Wasser gegeben und unter ständigem Rühren etwa 5 Minuten lang gekocht, bis ein dicker Brei entsteht. Die Butter zum Brei geben und die Masse 30 Minuten lang zugedeckt quellen lassen. Die Weizenvollkornbrötchen

werden in Würfel geschnitten, im Öl angeröstet und in den Grünkernbrei gerührt.
Die Eier, die Gewürze und das Vollkornmehl geben wir in den abgekühlten Brei, verkneten die Masse und lassen sie erkalten.
Daraus formen wir dann 8 Knödel und geben sie in kochendes Salzwasser. Dann schalten wir die Herdplatte nach kurzem Kochen ab und lassen die Knödel zugedeckt 20 Minuten ziehen.

Was helfen mir, werden Sie sagen, die tollsten Knödel, soll ich sie vielleicht ohne irgendetwas verspeisen? Nein. Pilzgulasch gibt's dazu.

Pilzgulasch

Man nehme:

- 500 g Champignons oder Mischpilze
- 2 Zwiebeln
- 3 EL Sonnenblumenöl
- 2 rote Paprikaschoten
- 2 Fleischtomaten
- 200 ml Wasser
- 2 EL Weizenvollkornmehl
- 1 TL Vollmeersalz
- ½ TL Paprikapulver
- ½ TL Basilikum
- ½ TL Petersilie
- 1 Msp. Pfeffer
- 200 g saure Sahne
- 1 EL geriebenen Käse

Die Pilze werden gut geputzt und gewaschen, es sei denn, Sie nehmen Dosenpilze. Nachdem sie abgetropft sind, werden sie kleingeschnitten.
Dann werden die Zwiebeln kleingeschnitten und mit den Pilzen in Öl angebraten.
Die Paprika werden in Streifen geschnitten und kommen nach etwa 10 Minuten zu den Pilzen und Zwiebeln und werden weitere 10 Minuten gedünstet.
Die blanchierten und enthäuteten Tomaten werden kleingeschnitten und hinzugegeben. Wir löschen dann mit Wasser ab, streuen das Vollkornmehl über die Masse und rühren gut um, dann kann gewürzt werden.
Wir lassen die Masse noch einmal 5 Minuten durchkochen, geben die saure Sahne und den geriebenen Käse hinzu, verrühren sorgfältig, schmecken ab und servieren.

Dazusagen sollte man noch, daß Pilzsammler beim Genuß der Waldfrüchte langsam tun mögen. Eine Reihe von Pilzen reichern, ähnlich wie die Leber, Unschönes aus der Umwelt in sich an. Für Lebergerichte und solche aus Pilzen gilt: Ab und an genießen, doch bitte nicht zu häufig.

Der Tag der offenen Hand

Wir haben es getestet: Drei »UiH«-Reporter sind vor Jahresfrist erst zur Fernsehmaske, dann zum Kostümfundus und dann in die Fußgängerzonen Wiesbadens, Frankfurts und Darmstadts spaziert. 90 Minuten lang wollten die drei erbarmungsgwürdigen Gestalten wissen, wie die Lage ist.
Der Kollege aus Darmstadt kam mit runden 26 Mark zurück, mit einer Banane und einem Stück Kuchen. In Wiesbaden kamen knappe 13 Mark zusammen, auf der Frankfurter Zeil war entweder die Kollegenmaske zu auffällig, eher aber die Konkurrenz zu groß.
Nach dem Bettlertest waren sich alle drei einig: Dazu gehört viel, sich die Umwelt, die Mitmenschen aus der Ameisenperspektive anzusehen, das ist ein bedeutender Schritt.
Einen Schritt ganz anderer Art hat Barbara Dickmann gemacht, die jahrelang bei »Unterwegs-in-Hessen« zu Hause war und jetzt Chefredakteurin eines Münchener Privatsenders ist. Mit Mann und Filius bleibt Barbara nicht nur in Sachen Wohnsitz, sondern auch beim Essen den Hessen treu. Aus dem Raum Hersfeld-Hünfeld stammt das folgende Lieblingsrezept.

Schmandkuchen

Man nehme:

500 g Quark (20% Fett)
1 Ei
½ kg Mehl
125 g Zucker
1 Päckchen Backpulver
8 EL Öl
4 EL Milch
600 g Schmand (oder Crème fraîche)
100 g süße Sahne
2 Päckchen Vanillezucker
2 EL Zucker

Der Quark wird mit dem Ei, dem Mehl, dem Zucker, dem Backpulver, Öl und Milch in einer Schüssel zu einem Teig verknetet.
Ein Backblech wird eingefettet und der Teig wird ½ cm hoch ausgestrichen.
Der Schmand wird in eine Schüssel gegeben, mit der Sahne, dem Vanillezucker und dem Zucker zu einer glatten Creme verrührt.
Die Hälfte der Masse wird auf den Teig gleichmäßig aufgestrichen, und der Schmandkuchen wird dann etwa 30 Minuten bei 160° C gebacken, bis die Oberfläche gelbbraun ist.

Der Kuchen wird aus dem Ofen genommen, man läßt ihn kurz abkühlen und streicht dann die restliche Schmandcreme darauf. Der Kuchen wird dann kalt serviert.

Mein Tip

Nach Belieben und je nach Saison kann man die zuletzt aufgetragene Creme mit Äpfeln, Mandarinen, aber auch Mandeln und Kirschen garnieren.

Das waren noch Zeiten

Jetzt wissen Sie, wo Barbara Dickmann zur Zeit arbeitet und was sie gerne ißt. Den einen oder anderen vertrauten Namen aus unserer Sendung werden Sie vielleicht auch schon vermißt haben, da Abschiedsarien so gut wie nie öffentlich gefeiert werden, ist der Weggang »vom Funk« für viele ein stilles Abtauchen.

Mancher ist auf dem Altenteil als Pensionär, andere sind zu »Spiegel« und »Stern« gewechselt, zu anderen Sendern, Zeitungen, Pressestellen.

Einer dieser Wechsler ist noch immer in aller Munde, weil seine Reportagen oft riskanter Natur, bis hin zum vollen körperlichen Einsatz waren, eine Spezialität, die Sammy Drechsel Ende der 40er Jahre in Berlin kreiert hatte, auch er saß einmal für drei Jahre in unserem Büro am Frankfurter Dornbusch.

So wollte besagter Kollege unbedingt den Riesenknall einer Brükkensprengung »live« übertragen, nur ein beherzter Sprengmeister konnte ihn davon abhalten, näher am Tatort zu sein als alle anderen. Allerdings: Das eingeschaltete Mikrofon war liegengeblieben. Als alle Mann in Dekkung waren, ging die Brück hoch – und ein Teil davon donnerte auf das Mikrofon.

Es war dann ziemlich schwierig, einigen Verwaltungsstellen im Hause klarzumachen, wieso es zu einem »Totalverlust wegen Sprengung« gekommen war, schließlich kostet ein gutes Mikrofon über 200 Mark.

Daß einem auch das teuerste Mikrofon kaum helfen kann, erlebte ein anderer Kollege, der sich mit Gerd Simoneit vom Zirkus Barum unter der Zirkuskuppel in einen Käfig mit zwei ausgewachsenen Löwen begab.
Nachdem die Sprechprobe nicht klappte und der Moderator zum zweiten Mal »in den Zirkus umschaltete«, stellte sich heraus, daß ein aufgeregter Techniker vergessen hatte, das Mikrofon auch mit dem Übertragungswagen zu verkabeln.
Eine andere Zirkusepisode: 14 Meter hoch sitzt der Reporter neben einer zierlichen Artistin auf dem Trapez, das Ganze ohne Netz.
»Nun erzählen Sie mal, wie es damals in Kassel dazu kam, daß sie herunterfielen«, bat er die junge Frau.
Die zeigte auf das hauchdünne Seilchen, welches das Trapez in der Zirkuskuppel verankerte: »Das war gerissen«, verkündete sie strahlend, und dann: »Aber es wird uns zwei schon aushalten.«
Schreck schlägt bekanntlich auf den Magen, doch hinterher kann Stärkung guttun.
Der Männerchor in Dudenhofen hat nicht nur ein tolles Käsekuchenrezept, sondern ein eigens diesem Kuchen gewidmetes Fest.

Bauernkeeskuchen

(für weit mehr als 4 Personen)

Man nehme:

- 3½ kg Roggenbrotteig (vom Bäcker)
- 3 kg Kartoffeln
- 500 g mageren Quark
- 1 l Dickmilch
- ½ l saure Sahne
- 4 mittelgroße Eier
- ¼ l Öl
- 500 g Dörrfleisch
- Salz
- Pfeffer
- Zucker
- Zimt
- Muskatnuß

Der Teig wird auf einem Blech von 50 x 75 cm ½ cm dick ausgerollt.
Die Kartoffeln werden gedämpft, geschält und mit dem Quark, der Dickmilch, der sauren Sahne, den Eiern und dem Öl gemischt und püriert. Das Dörrfleisch wird in kleine Stücke geschnitten und dazugegeben.
Die Masse wird mit Salz und Pfeffer, Zucker, Zimt und Muskatnuß abgeschmeckt und auf den Teig aufgetragen.
Der Bauernkeeskuchen ist fertig, wenn er bei mittlerer Hitze im Backofen gelbbraun wird.
Die Dudenhofener essen ihn »orsch heiß«.

Wer schafft, braucht Kraft

Die althergebrachten Rezepte, davon zählen wir hier noch eine Reihe auf, zeichnen sich durch Deftigkeit aus. Das hat seine guten Gründe: Schließlich haben unsere werten Vorfahren nicht am Computerarbeitsplatz gesessen, sondern harte Muskelarbeit leisten müssen, viele Kalorien wurden dabei verbrannt, viele neue gebraucht.
Freunde, die beim Schreiben ein wenig gekiebitzt haben, und unsere Interimssekretärin Christel Schmidt als Oberrezeptverwalterin schlugen mehrfach vor: »Man müßt' ein Lokal aufmachen, wo's nur so deftige Sachen gibt, das wäre ein Renner.« Vielleicht ist damit ein Grundstein für neue kulinarische Trends gelegt.
Einen Grundstein, in dem eine unserer Sendungen liegt, gibt's auch. Als wir den Bürgermeister einer mittelhessischen Kleinstadt satirisch überzogen auf eine Grundsteinlegung am falschen Ort über den Sender aufmerksam machten, war er nicht beleidigt, sondern besorgte sich den Sendemitschnitt und ließ ihn Wochen später im richtigen Grundstein versenken. Wer weiß, wer irgendwann das Bändchen findet.
Vergessen wie mancher längst gelegte Grundstein sind so feine Sachen wie der obligate »Brei«, mancher denkt wohl noch voller Graus an seine Zwangsbreichen aus der Kinderzeit zurück. Zwei Breie wollen wir vorstellen.

Gärschtebrei

Man nehme:

120 g Gerstengraupen
½ l Milch
3 EL Zucker
1 unbehandelte Zitrone

Die Graupen werden gut eine Stunde lang in Wasser weichgekocht, dann wird das überschüssige Wasser abgegossen.
Danach wird mit der Milch aufgefüllt, der Zucker und feingeraspelte Zitronenschale hinzugegeben und die Masse unter ständigen Rühren wird solange gekocht, bis die Milch aufgesogen ist.
Unkompliziert und schmackhaft ist auch die

Buchweizengrütze

Man nehme:

1 l Milch
Salz
125 g Buchweizengrütze
30 g Butter
Zimt
Zucker

Die Milch läßt man unter Zugabe von etwas Salz aufkochen, gibt dann die Grütze hinein und läßt sie etwa 20 Minuten lang ausquellen. Das Gericht wird dann mit der geschmolzenen Butter, Zimt und Zucker bestreut und serviert.
Obstsalat, Dörrobst oder frisches Obst passen gut dazu.

Der Ritter ohne Furcht und Tadel

Bei soviel Rezeptschreiberei darf die Geschichte jenes Funkkollegen nicht ausgelassen werden, der da glaubte, er habe ein Patentrezept.
Er war als junger Mann schon fest beim Radio, durfte aber nebenher in Frankfurt auch Theater spielen. Der Zufall wollte es, daß er just zu jenem Zeitpunkt in Frankfurt auf der Bühne stehen mußte, als er auch im Radio gebraucht wurde.
Da die Termine vorher bekannt waren, schlug er vor: »Ich muß im 1. und 4. Akt als Ritter auftreten, kann natürlich rasch hochfahren zum Dornbusch, in die Sendung gehen und dann wieder zurück ins Theater.«
Mit dieser Lösung waren alle zufrieden, auch damit, daß der Doppelarbeiter sagte, aus Zeitgründen könne er nur geschminkt und in der Rüstung im Funkhaus antreten, da dies beim Hörfunk ja nicht zu sehen ist.
Nur: Er hatte seine Rechnung ohne einen Witzbold gemacht. Schon immer haben unsere Hauptpförtner ein waches Auge auf jeden Besucher, dies weniger aus Mißtrauen als deshalb, weil das Funkhausareal mit seinen verschachtelten Gängen schon manchen in die Irre geführt hat. Der Witzbold also rief den Abendpförtner an und sagte: »Passen Sie gut auf. In der letzten Zeit kommt ab und zu einer in 'ner Ritterrüstung anspaziert und behauptet, er müsse dringend in seine Sendung, also lassen Sie den ja nicht rein.«
Zwei Stunden später, als der Ritter Einlaß begehrte, wurde ihm dieser verwehrt. Nur durch gutes Zureden und den zum Glück mitgeführten Ausweis kam er noch, in allerletzter Minute, in seine Sendung.
Stichwort verwinkelte Gänge: Wußten Sie eigentlich, daß der Rundbau unseres Funkhauses, das Herz der Studiotechnik, einmal das Deutsche Bundeshaus

Das ist bitter: »Kein Eintritt, Herr Ritter!«

werden sollte? Und daß viele Redaktionen in jenen Zimmerchen sitzen, die einmal Abgeordnete beherbergen sollten? Nur so läßt sich auch erklären, warum der HR in seiner großen Eingangshalle blattvergoldete Tragesäulen hat, das Gerücht, sie seien durch Rundfunkgebühren und Überschüsse finanziert, dürfte hiermit widerlegt sein, meinen Sie nicht auch?

Jetzt kommen wir zu einer geballten Ladung von Kartoffelrezepten, Traditionsrezepten, denn die Kartoffel war früher in Hessen das Gericht. Starten wir den Eßausflug in die Welt dieser Nachtschattengewächse mit einem Rezept aus Heppenheim, den

Bawwetscheskartoffeln

Man nehme:

1,2 kg Kartoffeln
50 g Dörrfleisch
50 g Speck
1 große Zwiebel
Salz

Die rohen Kartoffeln werden geschält. Das Dörrfleisch und der Speck werden kleingewürfelt und in einer Pfanne mit einem hohen Rand ausgebraten.
Die Kartoffeln werden auf den Speck und das Dörrfleisch gelegt und mit Salz überstreut. Die Zwiebel wird geviertelt, die Teile werden obenaufgelegt.
Nun wird die Pfanne zu zwei Dritteln mit Wasser gefüllt, mit einem Deckel abgedeckt und zum Kochen gebracht, das Ganze wird bei niedriger Hitze 45 Minuten gegart.
Wichtig: Wenn das Wasser verkocht ist und die Kartoffeln krustig sind, ist das Gericht fertig. Kopf-, Endivien- oder Feldsalat paßt am besten dazu. Die Bawwetsches- oder Barbarakartoffeln galten als typisches »Armeleuteessen«.

Jetzt senden wir ein Foto…

Will ich Ihnen zwischendrin noch die Geschichte erzählen, durch die es, eine Weltsensation, zur Veröffentlichung eines Fotos im Rundfunk kam, was ja eine schwierige Angelegenheit ist.
Der Pressedienst eines Polizeipräsidiums teilte uns schriftlich die Ereignisse des Tages mit und bat, die Suchmeldung nach einer älteren Dame zu veröffentlichen, für die Zeitungskollegen war ein Foto dazugelegt, das auch uns erreicht hatte.
Die Moderatorin bekam die Unterlagen kurz vor der Sendung, hatte noch den langen Fußmarsch zum Sendestudio vor sich und keine Gelegenheit mehr, den Text zu überfliegen. Erst gegen Ende der Sendung kam sie dazu, die Polizeibitte der Hörerkundschaft vorzutragen. Sie verlas den schriftlichen Wunsch und sagte dann: »Das

beigefügte Foto, das zur Veröffentlichung freigegeben ist, zeigt Frau Z. Wer sie wiedererkennt, möchte bitte die nächste Polizeistation informieren.«
Klar, daß das Gelächter hinter der Regieglasscheibe groß war, denn den Hörerinnen und Hörern dürfte diese Art von Fotoveröffentlichung nicht allzuviel gebracht haben.
Kommen wir zur Kartoffel zurück, zu einem Rezept aus der »mageren« Nachkriegszeit.

Gänseappel

Man nehme:

500 g gekochte Kartoffeln
500 g rohe Kartoffeln
2 Eier
Salz, Mehl
100 g Butter

Die gekochten Kartoffeln werden bereits am Tag vor der Zubereitung des Gerichtes gegart. Am nächsten Tag passiert man sie durch den Fleischwolf.
Die rohen Kartoffeln werden gerieben. Beide Kartoffelmassen werden mit den Eiern, dem Salz und etwas Mehl vermengt. Der Teig soll nicht zu fest sein.
Daraus werden längliche Klöße in der Form von Kroketten hergestellt.
Die Klößchen gibt man in kochendes Wasser. Wenn sie auf der Wasseroberfläche schwimmen, sind sie gar. Mit dem Schöpflöffel werden sie herausgenommen, auf einem Teller mit gebräunter Butter übergossen und serviert.
Auch gekochtes Obst oder eine pikante Hackfleischsoße paßt gut dazu.

Hörer klagen, Hörer fragen

Wir möchten, so klagte ein Hörer, doch bitte nach jedem Beitrag die Adresse der genannten Firma, der Klinik, des Interviewpartners, des Wissenschaftlers nennen, er sei es leid, immer anrufen zu müssen. Durchgegebene Telefonnummern, Inhalt des nächsten Anrufes, sollten langsam und mindestens zweimal durchgesagt werden. Wenn ein Reporter schon anstelle von »bei uns in Deutschland« über »bei uns in Japan« berichte, möge er sich doch wenigstens entschuldigen, so gehe es auch nicht, reklamierte ein dritter. Wir haben schon gute Aufpasser, allerdings hat trotzdem offenbar keiner mitbekommen, daß bei uns im Programm der Landesforstmeister einmal als Frostmeister auftauchte.

Beim nächsten Rezept handelt es sich weder um einen Tipp- noch einen Sprechfehler:

Zamette

Man nehme:

1 kg Kartoffeln
2 EL Mehl
Salz
Muskat
100 g Grieben
1 TL Schmalz
1 kleine Zwiebel

Die Kartoffeln werden gewaschen, geschält und geviertelt. Anschließend werden sie in etwas Salzwasser gekocht und dann zerdrückt oder durch eine Kartoffelpresse gepreßt.
Nun wird das Mehl dazugegeben und die Masse mit Salz und Muskat abgeschmeckt. Der Kartoffelteig sollte halbfest sein.
In einer Pfanne werden die Grieben mit dem Schmalz gebraten, die kleingeschnittene Zwiebel wird mitgedünstet.
Nun werden von dem Kartoffelteig kleine Stücke abgenommen und im Griebenschmalz hellbraun und knusprig gebraten.
Dazu empfiehlt man im Raum Hersfeld Bratwurst oder Salat.

Ohne Einsatz keine Story

Was wir in unseren Sendungen selten schaffen, nämlich eine absolut breite Palette der Hessenberichterstattung aufzubauen, gelingt uns beim »Essen in Hessen« besser. Warum es an ersterem hapert, ist kein Geheimnis: Wir können uns nicht überall Korrespondenten leisten, und leider erfahren wir auch nicht aus jeder Kommune, was dort gerade das allgemeine Interesse entfacht.
Obwohl wir uns gerne schriftlich und telefonisch einen Rat geben lassen. Nur, der obligate Pressedienst aus dem Rathaus verrät uns nicht alles. Welcher Politiker würde da schon hineinschreiben lassen: »Unser 1. Beigeordneter hat mehrfach in die Portokasse gelangt.«? Das ist nicht zu erwar-

ten, folglich melden alle Pressedienste aus Kommunen – nicht nur im Hessenland – nur Gutes. Ebenfalls Gutes erreicht uns aus Tann in der Rhön.

Nasterhötes (Nestklöße)

Man nehme:

- 1 kg Kartoffeln
- ¼ l Dickmilch
- Salz
- 500 g Pökelfleisch
- 2 Eier
- 1 trockenes Brötchen
- 2 Stangen Lauch
- Pfeffer
- Öl

Ein Viertel der Kartoffeln wird gekocht und zerdrückt, der Rest wird roh gerieben und in einem Tuch ausgepreßt.
Unter Zugabe der Dickmilch und etwas Salz werden die beiden Kartoffelmassen solange verknetet, bis ein sämiger Teig entsteht.
Für die Füllung wird das Pökelfleisch durch den Fleischwolf gedreht, mit den Eiern, dem in Wasser eingeweichten Brötchen, dem kleingeschnittenen Lauch und etwas Pfeffer vermengt.
Aus je zwei Eßlöffeln Fleischmasse wird ein Klößchen geformt und mit dem Kartoffelteig umhüllt.
Die gefüllten Klöße werden in einer Pfanne mit heißem Öl rundherum angebraten, dann auf eine Fettpfanne, die mit etwas Öl eingestrichen wurde, gegeben und bei 200° C 1 Stunde gebacken.

Mein Tip

Gestandene Kartoffelfans greifen bei solchen Gerichten gern zum auch hier empfohlenen Kaffee, aber es darf auch ein Bierchen sein.

Um Sie von der Qual der Getränkewahl beim nächsten Rezept zu befreien – es wird nicht mit Bier, sondern mit Apfelmus gereicht.

Klous (Oberhessischer Kartoffelauflauf)

Man nehme:

- 1,5 kg große Kartoffeln
- ¼ l Milch
- 150 g Cervelat- oder Mettwurst
- 150 g geräucherten Speck
- 3 mittelgroße Zwiebeln
- evtl. etwas Mehl
- Salz, Pfeffer
- Muskat

Die Kartoffeln werden geschält und gerieben, die Masse wird auf

ein Sieb gegeben, damit das Kartoffelwasser ablaufen kann. Das Kartoffelwasser auffangen!
Während wir die Milch langsam erhitzen, werden Wurst, Speck und Zwiebeln in große Würfel geschnitten.
Kartoffeln, Wurst, Speck und Zwiebeln werden mit der Milch zu einem Teig verrührt, das Kartoffelwasser hinzugeben. Wenn der Teig zu flüssig ist, eventuell noch 1 EL Mehl zufügen, dann würzen wir mit Salz, Pfeffer und Muskat.
Die Masse kommt nun in eine vorher eingefettete Auflaufform und wird im vorgeheizten Backofen bei 200 bis 250° C in etwa 2½ Stunden knusprig braun gebraten. Das Gericht kommt sehr heiß auf den Tisch, dazu gibt's Apfelmus.

Mein Tip

Apfelbäume gibt es noch massenhaft in unserer Gegend, doch selten hat der Bauer oder Besitzer Zeit, die Früchte zu ernten, meist lohnt es sich nicht. Haben Sie ein Bäumchen erspäht, handeln Sie ruhig mal mit dem erfragten Besitzer eine Pauschalgebühr fürs Selberpflücken aus.

Wie kommt man also an eine spannende Geschichte? Wir möchten Ihnen nun ein Beispiel erzählen.
An jenem Samstag, an dem in einem großen Frankfurter Hotel in einem populären Entführungsfall eine Riesensumme Lösegeld übergeben werden sollte, war jedermann, der schreiben, filmen und funken konnte, auf den Beinen. Man traf sich im riesigen Foyer und versuchte herauszubekommen, was geschehen sollte, eine Indiskretion hatte uns allesamt mobilgemacht.
Unser Problem: Wohin mit dem Ü-Wagen, denn der stand im Halteverbot. Einfacher Fall für den Reporter; er nahm sich ein Handfunkgerät aus dem Wagen, sagte »Ich guck' mal, ob wir in die Tiefgarage dürfen, und sage über Funk Bescheid«, dann lief er los.
Am Eingang zur Tiefgarage stand ein VW-Bus der Polizei mit zwei sichtlich verzweifelten Beamten. Die drehten sich um: »Gut, daß Sie kommen, Kollege, unser Blaulicht bleibt hier an der Rampe hängen, wenn sie mit einsteigen, geht der Wagen vielleicht so in die Knie, daß es langt.«
Drei Minuten später war der »Kollege« Reporter, wegen seines Funkgerätes wohl für einen zivilen Polizisten gehalten, genau dort, wo er hinwollte.
Es wimmelte nur so von Polizisten aller Dienstgrade. Wuchtige Kriminalbeamte mit schweren

Dienstwaffen im Schulterholster, Uniformierte mit der Maschinenpistole HK-5 schußbereit in der Hand. Im allgemeinen Tohuwabohu gelang es dem Reporter, sich bis an eine schwer bewachte Kellertür heranzupirschen, hinter der, wie sich später herausstellte, Kisten mit Lösegeld bereitstanden. Im Halbdunkel der Tiefgarage kam es dann zur Konfrontation. »Wo kommen Sie denn her«, wollte ein Kripomann vom Neuankömmling wissen.

Nun hätte der »K-13« oder »vom BKA« sagen können, blieb aber bei der Wahrheit – und nannte seinen Heimatort, ein Dörfchen in der Nähe Frankfurts. Die Enttarnung erfolgte und in hohem Bogen flog er aus der Tiefgarage heraus. Neben seinem Funkgerät nahm er aber auch das Wissen darüber mit, was sich unter dem Hotel zur Stunde abspielte. Klar, daß das bald darauf über den eigenen Sender und die zugeschalteten der ARD in den Äther ging.

Ähnliche Geschichten sind schon mehrfach passiert, es liegt zum Teil auch daran, daß die Presse an manchen Einsatzorten besseren Zutritt als irgendein anderer hat. So wurde vor Jahr und Tag bei der Berliner Lorenz-Entführung ein harmlos in seiner grünen Lederjacke am Rhein-Main-Flughafen-Revier herumstehender Reporter von einem nervösen Einsatzleiter der Leibwache des damaligen Ministerpräsidenten Albert Oswald zugeteilt und konnte, da amtlich abkommandiert, mit gutem Gewissen bis ins Lagezentrum spazieren.

In einem anderen Fall kam der »UiH«-Reporter zwar bis zum Einsatzleiter ohne solch günstigen Zufall, doch der wollte ihm nichts erzählen. Der Reporter diskutierte so lange mit dem Beamten, bis dieser ihn bat, den Raum zu verlassen – was er gerne tat. Während der Diskussion konnte er die auf dem Schreibtisch liegenden Einsatzpapiere sinngemäß auswendig lernen und die Redaktion intern darüber informieren, was geplant war.

Bei einer anderen Recherche ist gar ein Kollege, ohne es zu wollen, kurzfristig zum stellvertretenden Vorsitzenden einer obskuren Organisation gewählt worden, dies, ohne daß er ein Wort gesagt hatte.

Ein Wort noch dazu: »Investigativer Journalismus à la Watergate mit Zahlung großer Summen«, »Nennung eines falschen Namens« oder »Bund voller Dietriche in der Tasche« wird bei uns, nicht nur weil es verboten ist, nicht gepflegt. Die Devise lautet Farbe bekennen, den Auftraggeber, den Sender nennen.

Dies mag bei heiklen Recherchen nicht immer die perfekte Lösung sein, ist aber die aufrichtigste.

Und jetzt gibt's

Gehitschel

Man nehme:

1 Zwiebel
1 EL Öl
1 EL Mehl
½ bis 1 l Fleischbrühe
500 g Kartoffeln
1 Nelke
1 Lorbeerblatt
Pfeffer, Salz
Sauerkraut nach Bedarf

Die kleingeschnittene Zwiebel wird in etwas Öl angedünstet, das Mehl darübergestäubt und unter ständigem Rühren angeschwitzt.
Nun wird die Fleischbrühe dazugegeben, ebenso die geschälten und in Scheiben geschnittenen Kartoffeln und die Gewürze.
Das Sauerkraut wird dazugegeben und das Ganze solange gekocht, bis die Kartoffeln gar sind.

Mein Tip

In der Anspacher Gegend reicht man dazu Blut- oder Leberwurst mit Brot.

Wie hätten Sie's denn gern?

»Liebe Hörerinnen und Hörer«, so beginnt mancher seine Sendung, während andere sich für »Meine Damen und Herren« entscheiden.
Als uns jedoch vor einiger Zeit eine Hörerin schrieb, »Da meine Kinder im Fernsehen und auch bei Ihnen im Rundfunk nie mitbegrüßt werden, obwohl sie hingucken und hinhören, ist es mir ein Bedürfnis, Ihnen das mal zu sagen«, gab es eine Riesendiskussion.
»Was«, das war die Generalfrage, »ist richtig? Das was wir machen, oder sollen wir die Kinder noch extra begrüßen?«
Ein weites Feld, denn wenn Sportkollegen die »Sportsfreunde« an den Lautsprechern begrüßen, haben sie a) die Freundinnen weggelassen und b) all jene, die gar keine Freunde oder -dinnen sind, sondern einfach mal »reinhören«.
Lockere Entscheidung: Wer mag, kann jegliche Begrüßungs-

form weglassen, aber auch ein breit-hessisches »Gude Morsche« ist nicht generell untersagt.
Sie finden es besser, begrüßt zu werden? Mag sein. Doch einerseits sollten Grüße bekanntlich erwidert werden, da wird's schon schwierig, und andererseits fängt der Kommentar in dem von Ihnen geschätzten Blatt ja auch nicht mit »Guten Tag« an. Trotzdem freut's uns, wenn beispielsweise die Erfinderin der »Pommes Christiane« an die »Liebe UiH-Redaktion« schreibt.
Urheber dieses Rezeptes ist laut Erfinderin der hessische Landwirtschaftsminister mit seiner Klage, es sollten endlich wieder mehr Kartoffeln gegessen werden.

Kartoffeln »Christiane«

Man nehme:

- 4 Zwiebeln
- 50 g Butter
- 500 g Hackfleisch halb und halb
- ⅛ l Rotwein
- ⅛ l Weißwein
- 1 kleine Dose Tomatenmark
- Salz
- Majoran
- 1 kleine grüne Peperoni
- 1 kg Kartoffeln
- 1 EL Senf
- 1 EL Crème fraîche

In einem großen Topf werden die kleingehackten Zwiebeln in der Butter angedünstet. Darauf gibt man das Hackfleisch, das bei großer Hitze solange gebraten wird, bis es seine rote Farbe verloren hat.
Nach gutem Umrühren wird mit Rot- und Weißwein abgelöscht. Das Tomatenmark, die Gewürze und die kleingehackte Peperoni werden hinzugegeben, die Masse wird gut durchgerührt.
Die Kartoffeln werden geschält, wie Pommes frites, in Stifte geschnitten und auf die Hackfleischsoße gegeben.
Der Topf wird abgedeckt und bei mittlerer Hitze 30 bis 40 Minuten gegart. Wenn die Kartoffeln gar sind, gibt man den Senf und die Crème fraîche hinzu, schmeckt mit Salz ab, rührt gut durch und läßt die Kartoffelmasse vor dem Servieren 5 Minuten ruhen.

Zwischen den Fronten

An dieser Stelle läßt sich ein aktuelles Beispiel für die Schwere des Reporterberufes einfügen, es ist in diesem Augenblick, da diese Zeilen geschrieben werden, 24 Stunden alt.
Wir waren gestern bei der Demonstration gegen die Inbetriebnahme des Kernkraftwerkes in Biblis, zwei Reporter, drei Techniker und ein Redakteur. Um eine nahtlose Berichterstattung auch für die Sender der ARD garantieren zu können, wurde der Ü-Wagen als Relaisstation eingesetzt, tüchtige Herren von der Post hatten eine Standleitung nach Frankfurt geschaltet und die zwei Reporter waren mit tragbaren Sendern ausgerüstet. Das sind mit zahllosen Knöpfen und einer ellenlangen Antenne versehene Geräte, ohne die man nicht viel anfangen kann, hat man nicht das dabei, was wir eine »Handfunke« nennen, ein Handfunksprechgerät.
Mit dem wird die interne Kommunikation sichergestellt, erfährt man: »Achtung, in einer Minute muß der Beitrag für Radio Bremen raus.«
Eine tolle technische Leistung, nahtlos von der Wiese vor dem Kernkraftwerk Biblis nach Bremen in die Wohnungen zu gelangen. Über 30 000 Menschen wurden bei dieser Demonstration gezählt, die Sonne schien vom blauen Himmel, die Polizei hatte nichts zu tun, teilte sich aber emsig über Funk »die Lage« mit. Und schon waren unsere Reporter von neugierigen Demonstranten umringt: »Aha, die Herren vom Verfassungsschutz«, hieß es da, oder: »Grüßt mal euren Einsatzleiter schön.« Es gab auch weniger nette Kommentare, HR-Ausweise wurden gezückt, alles löste sich in Gelächter auf.
Später, nach einem 14-Stunden-Arbeitstag, war die Vision eines kühlen Feierabendbierchens greifbar nahe – und prompt meldete sich der SWF mit der Bitte um eine Tages-Summary, also eine Zusammenfassung der Ereignisse.
Die beiden Reporter, kilometerweit vom unsichtbaren Ü-Wagen in Groß-Rohrheim getrennt, schalteten ihre Sender ein, sprachen sich über die Inhalte ab.
Plötzlich wurden sie von gut 15 Polizeibeamten umringt, just in dem Moment, in dem sie »auf Sendung« waren. Da half nur Gestikulieren und, weil beide auf dem Hintern im Gras und auf ihren Ausweisen saßen, stilles Hoffen. Kaum war die Sendung beendet, hieß es, Personalausweise vorzeigen.

Die Personaldaten wurden notiert und der Polizeieinsatz begründet: »Wir gehen davon aus, daß Sie hier den Polizeifunk abgehört haben.« Die Beamten ließen sich nicht davon überzeugen, daß es sich bei den schuhkartongroßen Geräten um Rundfunksender handelt. Den eventuellen Folgen sieht das Biblis-Team, versteht sich, mit äußerster Gelassenheit entgegen.
Von der Sende- zur Küchenarbeit:

Backeskrummbeere

Man nehme:

1 kg Kartoffeln
1 kg rohen Schinken
1 EL Salz
2 mittelgroße Zwiebeln
1 TL Zimt
1/4 l Dickmilch
1/4 l saure Sahne

Zuerst werden die Kartoffeln geschält, dann, wie auch der Schinken, in Würfelchen geschnitten und gesalzen.
Eine eingefettete feuerfeste Form wird nun schichtweise mit Kartoffeln und Fleisch gefüllt. Nun streuen wir die halbierten Zwiebelringe und den Zimt darüber. Das Gericht wird mit der Dickmilch und dem Rahm übergossen und bleibt etwa 65 Minuten bei 180° C im Backofen.
Die Rheinhessen trinken dazu gerne Milch oder Buttermilch.

Das »Survival-Pack«

Bei zeitaufwendigen Außeneinsätzen bewundern neugierige Zeitgenossen oft die Reporterausrüstung. Wir wollen Ihnen nicht vorenthalten, wie das »Survival-Pack« aussieht, das, von Reportergeneration zu Reportergeneration weitergegeben, dann schon recht umfangreich ausfallen kann.
Nehmen wir an, daß in A. wegen eines unpopulären Projektes der Bauplatz besetzt werden soll, wir richten uns darauf ein, am Ball bleiben zu müssen, ein Ü-Wagen rückt an und die nächste Kneipe ist 15 Kilometer entfernt. Bei gutem Wetter kommen Klappstuhl und Campingtisch in den Kofferraum, eine batteriebetriebene Schreibmaschine mit Thermodrucker, ein Transistorradio, in die Kühltasche kommen belegte Brote, Getränke, Schokolade.
Komplettiert wird die optimale Ausrüstung mit einem zweiten

Funkstille

Satz Kleidung, einem Telefonverzeichnis und massenhaft 1-Mark-Stücken, mit denen sich öffentliche Telefonzellen füttern lassen. Archivmaterial mit Hintergründen, Schreibzeug, Gummistiefel, Tonbandgerät, Ersatzbatterien, Tonkassetten, Taschenlampe, ein Buch zum Lesen bei der Herumsitzerei, so in etwa sollte die Ausrüstung schon aussehen, oft genug wird auch der Schlafsack mit eingepackt.
Wer je unvorbereitet tage- und nächtelang an der Startbahn-18-West-Baustelle auf harten Autositzen geschlafen hat, bis die HR-eigenen Wohnwagen aufgestellt werden konnten, komplettiert eine solche Ausrüstung auch in Sachen eigener Bequemlichkeit. Für das Rezept aus Hattersheim wäre man sicher auch noch zu haben:

Kartoffelgemüse

Man nehme:

1 mittelgroße Zwiebel
80 g Margarine
2 gehäufte EL Mehl
½ l Fleischbrühe
6 große Kartoffeln
2 Lorbeerblätter
4 Wacholderbeeren
1 Msp. Muskat
1 Msp. Pfeffer
Essig, Zucker
Speisewürze

Die kleingehackte Zwiebel wird in der Margarine glasig gedünstet, das Mehl wird vorsichtig dazu gerührt und angeschwitzt. Die Fleischbrühe wird langsam angegossen, dabei ständig rühren.
Die Kartoffeln werden geschält, einmal der Länge nach durchgeschnitten und mit dem Gurkenhobel in feine Scheiben geschnitten.
Wir geben die Kartoffeln in die Mehlschwitze, geben die Lorbeerblätter und die Wacholderbeeren hinzu und lassen alles 20–30 Minuten köcheln.
Wenn die Kartoffelscheiben weich sind, wird mit Muskat und Pfeffer, einem kleinen Schuß Essig, etwas Zucker und der Speisewürze abgeschmeckt.

Mein Tip

Im Sommer kann das Gericht mit Petersilie bestreut werden. Fleischkäse, süßsaure Gurken, Senfgurken oder auch hausgemachte Blutwurst passen gut dazu.

Spargel, Spargel, Spargel…

Im Frühjahr 1986 rief uns auf Grund des Kernkraftwerkunfalls in Tschernobyl händeringend der Direktor einer Gemüsezentrale an und fragte: »Könnt Ihr denn etwas tun? Die Spargelpreise sacken in den Keller, dabei sind die Spargel doch gar nicht durch den Kraftwerksunfall in der Ukraine belastet!«
Wir überlegten. Eigentlich ist es ja nicht unsere Aufgabe, darbenden Märkten zur Belebung zu verhelfen. Doch andererseits war schon lange ein »UiH«-Spargelkochen geplant, also haben wir das gekoppelt.
Drei Reporter fuhren auf eine riesige Spargelplantage, schauten sich Ernte und Verarbeitung an, lernten dabei, daß ein Spargelakker erst im dritten Jahr eine Ernte einbringt – und kochten wie die Weltmeister. In der ohnehin großen Küche des Hofes mußten Chef und Chefin für die vielen Spontangäste, die wir über HR-1 eingeladen hatten, Tische anstellen. Was den Herrschaften geschmeckt hat?

Räucherlachs auf Toast mit Spargelbutter

Man nehme:

250 g Spargel
150 g Butter
2 Basilikumblätter
4 Scheiben Toastbrot
200 g Räucherlachs
Pfeffer
Salz

Der Spargel wird weichgekocht und dann püriert. Das Püree wird durch ein Sieb gestrichen und mit der weichen Butter vermischt, gepfeffert und gesalzen und mit den kleingehackten Basilikumblättern verrührt. Die Butter abkühlen lassen und kaltstellen.
Das Toastbrot wird getoastet, diagonal halbiert, mit der Spargelbutter bestrichen, mit Lachsscheibchen belegt und mit einem Klacks Spargelbutter verziert.
Die Spargelbutter kann auch warm als Spargelbuttercreme zu Spargelgerichten serviert werden.

Frischer konnten die Spargel für das Spargelessen nicht sein, als wir sie ins Salzwasser packten, waren sie zwei Stunden vorher geerntet worden. Bei der Kocherei für insgesamt gut 35 hungrige Mitmenschen mußten wir öfter den Kochlöffel mit dem Mikrofon vertauschen, eine angesetzte Mehlschwitze verwandelte sich dabei in eine mulmig anzuschauende und ungenießbare Angelegenheit.

Frische Spargelsuppe

Man nehme:

- 500 g Spargel
- Salz
- 4 EL Butter
- 4 EL Mehl
- 1 Eigelb
- 3 EL süße Sahne

Die geputzten Spargel werden in 2 cm lange Stücke geschnitten und in 1 l kochendem Salzwasser weichgekocht, anschließend werden die Stücke aus dem Spargelwasser genommen.
Die Butter wird in einem Topf erhitzt, das Mehl dazugerührt und angeschwitzt. Das Spargelwasser wird unter ständigem Rühren langsam dazugegeben.
Wir lassen die Suppe kurz durchkochen, rühren die mit dem Eigelb verquirlte Sahne dazu und geben zum Schluß die Spargelstückchen zur Suppe.

Beim Vorweg-Toast wird Wert darauf gelegt, daß es sich um eine eigens für Sie kreierte Erfindung handelt, doch nach dem Motto, daß alles schon mal da war, wollen wir die Behauptung nicht so engstirnig sehen.
Daß der Publikumsandrang beim Spargelkochen so groß war, hatte, wie wir von einer älteren Dame erfuhren, auch Gründe, die außerhalb kulinarischer Ebenen lagen: »Ich hör' Sie jetzt schon so lang und oft, da wollt' ich mir die Leut', die hinner dene Stimme stecke, doch emol aus de Näh aagucke.«

Bunter Spargelsalat

Man nehme:

- 1 kg Spargel
- Salz
- 4 hartgekochte Eier
- 250 g gekochter Schinken
- 1 mittelgroße Zwiebel
- 200 g süße Sahne
- Senf
- Essig
- Muskat
- weißer Pfeffer
- 1 Bund Schnittlauch

Den Spargel in Stücke schneiden und in Salzwasser weichkochen lassen, er sollte bißfest sein. Danach den Spargel abtropfen und abkühlen lassen.
Die Eier in Scheiben, den Schinken in Streifen schneiden. Die

Zwiebel zerkleinern und aus der Sahne, dem Senf, einem Schuß Essig, einer Prise Muskat und weißem Pfeffer ein Dressing rühren. Geben Sie den abgetropften Spargel in eine Schüssel und heben das Dressing, den Schinken und die Eischeiben unter.
Der Salat wird mit dem kleingeschnittenen Schnittlauch bestreut.

Das komplette Spargelmenü mit allen Gängen nachzukochen, würden wir nicht anraten. Es sei also Ihrer Einfallsfreudigkeit überlassen, wie Sie in der nächsten Saison die Spargelgerichte mit anderen kombinieren.
Das folgende Rezept war der absolute Renner auf dem Bauernhof, es bot fast jedem ein neuartiges Geschmackserlebnis:

Spargel mit Orangendressing

Man nehme:

1 kg Spargel
2 EL milden Essig
Pfeffer, Salz
3 Eigelb, 8 EL Butter
1 unbehandelte Orange

Der Spargel wird in Salzwasser bißfest gekocht.
Der Essig wird mit einer Prise Pfeffer erhitzt und etwas reduziert, dann beiseitegestellt.
Die Eigelbe werden mit etwas Butter und Salz in einem kleinen Topf verrührt und dann der abgekühlte Essig unter ständigem Rühren hinzugegeben.
Der Topf wird in ein Wasserbad gestellt und unter ständigem Rühren wird die Masse geschlagen. Wenn die Soße zu dicken beginnt, nach und nach die restliche Butter flöckchenweise hineingeben.
Die Orange wird gut gewaschen, der Saft ausgepreßt und zur Seite gestellt. Die Orangenschale wird von der Hälfte der Orange abgerieben, dann der Saft und die geriebene Schale in die Soße gerührt.
Der Spargel wird mit der Soße angerichtet. Sollte Ihnen die Soße zu dick geraten, kann sie mit etwas Spargelwasser verlängert werden.

Mein Tip

Von bekannten Herstellern wissen wir: Spargelfertigsuppe wird nicht ausnahmslos aus Spargel der Handelsklasse I zubereitet. Spargelbutter und -suppe können Sie aus Spargelbruch oder preiswerten Angeboten herstellen.

So, wie wir viele Rezepte Hörerinnen und Hörern verdanken, ist es auch bei Informationen. Viele unserer Anruferinnen und Anrufer, für die wir, wann immer es geht, zu sprechen sind, haben gute Tips, die sich oft genug in sendbare Themen ummünzen lassen.
Natürlich sind wir auf diese freundliche Zuarbeit angewiesen. Wenn man bedenkt, was sich täglich in unserem Bundesland tut, leuchtet es ein zu erfahren, daß eine kleine Redaktion nicht von allem Wind bekommen kann.
Bei der Berichterstattung passen müssen wir meist nur bei Stadt-- und Dorfjubiläen. Zwar hat jedes für sich seine Bedeutung, doch bei all den 650-, 800-, 1000- oder 1150-Jahr-Feiern kämen wir nicht mehr nach, bitten um Verständnis und empfehlen zum Feiern

Speckkuchen

Man nehme:

750 g Brotteig (vom Bäcker)
5 Brötchen
Milch
2 dicke Lauchstangen
5 Eier
Öl
Salz, Pfeffer
250 g fetten Speck
100 g Paniermehl

Der Brotteig wird ausgerollt und auf ein gefettetes oder mit Backpapier ausgelegtes Ofenblech gegeben.
Die Brötchen werden in Milch eingeweicht und ausgedrückt. Die Lauchstangen werden kleingeschnitten, die Brötchen zerrupft. Brötchen, Eier und Lauch miteinander vermengt, einen Schuß Öl darangeben und mit Salz und ein wenig Pfeffer abgeschmeckt.
Die gut vermengte Masse wird auf den Brotteig gestrichen.
Der Speck wird kleingeschnitten, mit dem Paniermehl gemischt und über die Masse gestreut. Bei 200° C wird der Kuchen 50 bis 60 Minuten gebacken, bis der Belag und der Teig bräunlich ist.

Mein Tip

Für den Brotteig kann man eine Fertigbackmischung nehmen, noch einfacher und schneller geht der Kauf direkt beim Bäcker. Statt Porree kann die gleiche Menge Schalotten genommen werden.

Erst mal wird der Take gecheckt!

Was Fliegermilch ist, werden Sie mit Sicherheit nicht wissen, ist auch nicht tragisch. Tragisch wäre es nur geworden, hätten wir beim Querlesen nicht noch den Tippfehler entdeckt.

Es ging um eine Sendung über den Rhein-Main-Flughafen mit viel Historie. Und da tauchte urplötzlich ein »General der Fliegermilch« auf. Mag sein, daß es Generaldirektoren und bei Fluggesellschaften auch Molkereien gibt, doch ein Fliegermilchgeneral?

Das liest sich flott, das spricht sich schnell und tippt sich auch flott. Den General der Flieger namens Milch haben wir dann noch aussprachemäßig korrekt hinbekommen.

Ein Reporter unserer Redaktion, eingesetzt beim Blow-out im norwegischen Ekofisk-Ölfeld, wollte besonders spannend schildern, wie Öl, Schlamm und Gas aus dem Leck auf der Bohrinsel in den Himmel schossen, also hub er an: »Nur hundert Meter vor mir der schlosende Tund – äh, der schlosende – äh, also das kaputte Bohrloch.«

Nach solchen Hopsern werden in der Redaktion zwar nicht die Messer gewetzt, doch schmunzelnde Kollegengesichter sind auf keinen Fall auszuschließen.

Ansonsten herrscht bei Funk und Fernsehen ohnehin ein Kauderwelsch wie in einem Flugzeugcockpit.

Ein Tonband besteht aus »Takes«, also einzelnen Wortabschnitten. Während wir unsere Bänder schneiden, werden sie beim Fernsehen »gecuttet«, was aufs gleiche herauskommt.

Beim Schlagzeilenmachen sind gute »Headlines« gefragt, dem Nachrichtenredakteur kommen frische »News« auf den Tisch, ein Interviewpartner ist gerade »getapt«, also aufgenommen worden, die Lage vor Ort wird »gecheckt«, ein Gesprächspartner »gebrieft«, Kollege Sowieso ist heute »down«, ein Band hat einen miesen »Sound«, und der »Track« dazu war schon öfter zu hören.

Anstelle von gebrieft könnte man, da geben wir jedem Kritiker recht, auch eingewiesen, informiert sagen, aber das würde ja genauso altmodisch klingen wie das »Eggcheese«-Rezept.

Eierkäs'

Man nehme:
1 l Milch
8 Eier
½ l Buttermilch
Zimt, Zucker

Die Milch wird aufgekocht. Die Eier und die Buttermilch werden miteinander verquirlt und in die kochende Milch eingerührt.
Die Masse wird nun vom Herd genommen und stehengelassen. Wenn das Eiweiß geronnen ist, wird die Masse mit einem Schaumlöffel in ein feines Sieb geschöpft. Das Sieb mit dem Käse wird auf einen Topf gehängt und über Nacht an einen kühlen Ort gestellt.
Am nächsten Morgen wird der Käse auf einen Teller gestürzt und serviert.

Mein Tip

Dieses erfrischende Sommerrezept stammt aus einem Bauernhaus bei Limburg. Dort gibt es zum Eierkäs' Weißbrot, das Gericht wird als Vor- oder Nachspeise oder auch als Snack für zwischendurch, vor allem in der heißen Jahreszeit, empfohlen.

Die Qual der Wahl

Was, werden wir immer wieder gefragt, ist eigentlich ein Thema für euch, und was nicht? Gute Frage, denn bekanntlich war alles schon mal da und kommt auch immer wieder.
Bei den Konferenzen meint schon mal der Kollege Tennisfan, daß sein tennisbezogener Themenvorschlag von illustrer Wichtigkeit sei. Die ökologisch interessierte Kollegin schlägt die neue Borkenkäferfalle vor, was logischerweise den Tennisfreund nur dann interessiert, wenn man ihm belegen kann, daß Borkenkäfer auch Tennisnetze annagen; das ist eine Form der internen Diskussion.
Generell aber gilt: Interessiert es unser Publikum, können wir auch eine alte Suppe so aufwärmen, daß wir Sie damit erreichen, das sind dann die geistigen Bastelstunden. Eine nur spannende Sendung zu machen ist schier unmöglich; von den im Schnitt 12 angebotenen täglichen Themen interessiert nicht jeden jedes, so wie Sie vermutlich auch nicht alle hier aufgezeigten Rezepte zu Ihren Lieblingsrezepten ernennen werden. Das nächste vielleicht doch?

Lauchkuchen

Man nehme:

für den Teig:

300 g Kartoffeln
350 g fein gemahlenen Weizen
150 g Butter, 1 Ei
1 Päckchen Backpulver
1½ TL Salz
1 TL Honig

für den Belag:

1 kg Lauch
300 g durchwachsenen Speck
3 EL Öl
1 TL Kräutersalz
1 Msp. Pfeffer
1 Msp. Majoran
1 Msp. Basilikum
1 Msp. Thymian
1 Msp. Curry
3 Eier
400 g körnigen Frischkäse
200 g saure Sahne

Die Kartoffeln werden gekocht, geschält, durch ein Sieb passiert. Aus dem Weizenmehl, den kalten Kartoffeln, der weichen Butter, dem Ei, dem Backpulver sowie Salz und Honig wird ein Teig geknetet, dieser ½ Stunde lang kalt gestellt.
Der Lauch wird halbiert, gewaschen und in Scheiben geschnitten. Der Speck wird in Streifen geschnitten und in Öl gebraten. Die Lauchscheiben werden dazugegeben, gewürzt, alles zusammen 10 Minuten geschmort. Der Teig wird gleichmäßig auf einem gefetteten Backblech ausgerollt, die kalte Lauchmischung auf dem Teig verstrichen. Die Eier werden mit dem Frischkäse und der Sahne gemischt, gewürzt und über den Belag gegossen. Im vorgeheizten Backofen bei 200° C etwa 50 Minuten backen.

Der Landtag macht Ferien

Vom Lauchkuchen zurück zu den »Unterwegs-in-Hessen«-Themen. Wie alle Berufskollegen leiden auch wir unter der berühmten Sauregurkenzeit, wir haben es ja schon am Beispiel von Nessie/Hessie beschrieben.
Der Landtag macht Ferien, alles funktioniert, obwohl die Politiker offensichtlich ausgeflogen sind.
Pressestellen, Pressekonferenzen, Aktionen, Messen, alles fällt in einen gemächlichen Sommertrab, die Zeit der Urlaubsvertreter ist angebrochen, Sommer und Sonne sind den Menschen näher als Shame & Scandal.
Selbst renommierte Illustrierten

Das Sommerloch

und Magazine werden prompt dünn, verfallen der inhaltlichen Magersucht, nur wir können nicht sagen, machen wir halt acht Wochen lang halbe Sendungen. Geheimrezept? Nein. Da heißt es, die grauen Zellen mehr als sonst in Schwung zu halten und im späten Frühjahr schon an den themenknappen Sommer zu denken. Zugegebenermaßen operieren wir mit Standby-Bändern, also Vorproduktionen, die nicht an den Tag gebunden sind, trotzdem aber den Informationswert haben, der erforderlich ist. Aber – soviel läßt sich auch nicht vorproduzieren, zumal wir ja auch großen Wert auf Tagesaktualität legen.

Also, raus zum Landwirt, der die Ernte einfährt, an den Badesee, zum Eismann an der Ecke, zu all denen, die im Sommer Hochkonjunktur haben und Themen liefern können.

Glück, leider manchmal auch Unglück wollen es, daß es genügend zu berichten gibt, mit Schließungsabsichten hat der Programmdirektor noch nicht drohen müssen.

Andererseits: Der nächste Winter kommt bestimmt, das wissen Sie und wir, und jeden lehrt die kalte Erfahrung, daß man sich vorab drauf einstellen muß, was man beim Rundfunk tun kann.

So sieht die Planung »Fahrertraining auf Schnee und Eis«, für den betreffenden Kollegen weniger beneidenswert, »Acht Stunden mit den Schneeräumern unterwegs« vor, zu Fuß mit Schippe, versteht sich.

Das nächste Gericht ist mit weniger Kraftaufwand herzustellen.

Schinken-Kräuter-Hörnchen

Man nehme:

- 40 g Hefe
- ¼ l Milch
- 650 g fein gemahlenen Weizen
- 2 Eier
- 2 TL Salz
- 1 TL Honig
- 100 g Butter
- 1 EL Schnittlauch
- 1 EL Petersilie
- 1 EL Dill
- 100 g gekochter oder roher Schinken
- 1 Ei
- Kondensmilch

Die Hefe wird in der Milch aufgelöst, mit dem Mehl, den Eiern, dem Salz und dem Honig vermischt. Die Butter wird untergearbeitet und die Masse gut zu einem Teig verknetet.

Die feingehackten Kräuter werden untergemischt. Nun lassen wir den Teig 30 Minuten gehen. Der Teig wird danach erneut gut durchgeknetet und so ausgerollt, daß der Teig eine runde Form von ½ cm Dicke erhält.

Daraus werden dann 8 kegelförmige Stücke geschnitten und nochmals darübergerollt. Der in feine Streifen geschnittene Schinken wird auf dem Teig verteilt, von der breiten Seite zur Spitze hin werden die Hörnchen aufgerollt und anschließend leicht gebogen.
Die Hörnchen werden dann auf ein mit Backpapier ausgelegtes Backblech gesetzt, 20 Minuten ruhen lassen. Mit einer Mischung aus Eigelb und Kondensmilch bepinseln wir die Hörnchen und backen sie im vorgeheizten Backofen 20 bis 30 Minuten lang bei 200° C.

Mein Tip

Nach dem gleichen Verfahren können Rosinenhörnchen und Hörnchen mit Nuß-Schokoladen-Füllung hergestellt werden, für den Teig reicht dann 1 TL Salz.

Modenschauen enden meist mit hübschen Hochzeitskleidern, Kochbücher mit süßen Sachen. Halb- und Ganzsüßes komplettieren das Werk, das, jeder Hessenschlemmer weiß das, keinen Anspruch auf Vollständigkeit erhebt.

Honigkuchen

Man nehme:

- 800 g Honig
- 1 EL Zimt
- 1 Päckchen Lebkuchengewürz
- 70 g Orangeat
- 70 g Zitronat
- 1 Msp. Pfeffer
- 4 Eier
- 100 g Butter
- 1 kg Weizenvollkornmehl
- 1 TL Pottasche
- 1 Päckchen Backpulver
- 1 Ei
- Mandeln
- Nüsse
- Sonnenblumenkerne
- Sesam

Der Honig wird erwärmt und nach und nach die Gewürze, das Orangeat und das Zitronat dazugegeben, dann die Eier untergerührt. Die Masse muß solange gerührt werden, bis sie schaumig ist.
Dann geben wir die weiche Butter dazu. Das Mehl wird gut mit der Pottasche und dem Backpulver gemischt und mit dem Honig-Butter-Gemisch kräftig verrührt. Der Teig muß dann über Nacht ruhen.
Sollte er am nächsten Tag nicht fest genug sein, kneten wir noch etwas Mehl darunter. Anschließend wird er ½ cm dick ausgerollt und Formen ausgestochen. Die Plätzchen werden mit ver-

quirltem Ei bestrichen und mit Mandeln, Nüssen, Sonnenblumenkernen oder Sesam verziert. Dann werden die Plätzchen im vorgeheizten Ofen bei 200 bis 220° C gebacken.

Mein Tip

Die Honigkuchen halten sich besonders lange, wenn sie nach dem Erkalten in einer geschlossenen Dose aufbewahrt werden.

Dem Autor sei nachgesehen, daß er als »Süd«-Hesse gelegentlich den Odenwald zu Wort kommen läßt, auf einen ausgewogenen Nord-Süd-Kochdialog ist wahrlich geachtet worden, aber auch darauf, daß sich Rezepte nicht wiederholen. Die folgende Odenwälder Spezialität erhebt keinen regionalen Alleinanspruch, in vereinfachter Form hat sie uns als Rezepttip auch aus dem nördlichen Hessen erreicht.

Ourewäller Äppelbreikuche

Man nehme:

für den Teig:

20 g Hefe
1/8 l Milch
65 g Zucker
250 g Mehl
1 Prise Salz
65 g Butter

für den Belag:

700 g Apfelmus
1 Päckchen Vanillezucker
1 Ei

Die Hefe wird mit der Milch und etwas Zucker verrührt und an einen warmen Ort gestellt, bis die Mischung Blasen wirft.
Anschließend wird die Hefemilch mit dem Mehl, dem Salz, dem restlichen Zucker und der Butter gut verknetet, bis der Teig geschmeidig ist. Nun den Teig etwa 30 Minuten an einem warmen Ort gehen lassen.
Eine Springform mit 28 cm Durchmesser wird eingefettet, der Teig ausgerollt und in die Form gelegt, der Rand sollte etwa 3 cm hochstehen.
Das Mus wird mit dem Vanillezucker und dem Ei gut verrührt, auf den Teig gegeben und glattgestrichen.
Anschließend wird der Kuchen bei 200° C 30 bis 35 Minuten gebacken.

»Schreib mal wieder«

Jetzt haben wir Ihnen vieles von unserer Arbeit erzählt, und Sie hatten keine Gelegenheit, zu Wort zu kommen. Das können wir ändern. Am meisten freuen wir uns über Karten und Briefe, denn knapp zwei Stunden Sendung und drei tägliche Konferenzen, einzuhaltende Produktionszeiten und die Tagesroutine, zu der auch mal unverhoffte Nachteinsätze oder stressige Sondersendungen kommen, lassen für Telefonate kaum Platz.
Zum einen befaßt sich eine spezielle Mannschaft in unserem Haus mit jedem Hörerbrief, zum anderen tut das die »UiH«-Redaktion selbst auch. Es mag, bis Sie unsere Antwort auf dem Tisch haben, in weniger eiligen Fällen mal ein paar Tage dauern, aber: geantwortet wird immer. Demnächst inklusive einer farbigen Postkarte, auf der Sie die vielen, teils wohl auch vertrauten Stimmen in Persona sehen können. Die zahlreich vertretenen Vollbärte auch.

146 Jahre ist das folgende Hessenrezept alt.

Traaser Pannekuche

Man nehme:

- 3 Eier
- 100 g Mehl
- ½ Tasse Milch
- ½ Tasse Wasser
- Salz oder Zucker
- Öl

Die Eier werden getrennt. Das Mehl, die Eigelbe, die Milch und das Wasser verrührt und die Masse mit Salz oder Zucker abgeschmeckt.
Die Eiweiße werden zu Schnee geschlagen und unter den Teig gehoben.
Aus dem Teig werden nun mehrere kleine Pfannkuchen von 10 cm Durchmesser in heißem Öl ausgebacken.

Mein Tip

Dieses aus dem Jahr 1840 stammende Gericht wurde entweder mit Salat gereicht und dann mit Salz gewürzt oder, bei süßen Beilagen (Obst) mit einer Prise Zucker.

Ein Trailer befindet sich auf einem Bobby, ein Tonband also auf einer Metallscheibe, von der es über einen Tonkopf zur nächsten geführt und dort wieder aufgespult wird.
Das Bändchen heißt denn auch mal wahlweise Tape, Band oder Senkel, warum es nicht Kringel heißt, konnte nicht ermittelt werden, vielleicht liegt es an den Zutaten, die im altehrwürdigen Frankfurter Funkhaus selten in den Studios zu finden sind.

Kringel

Man nehme:

40 g Hefe
¼ l Milch
100 g Zucker
500 g Mehl
100 g Margarine
½ TL Salz
200 g Rosinen
etwas Rum
4 EL Zucker
1 EL Zimt
1 EL Kakao
100 g Butter

Die Hefe wird mit der lauwarmen Milch und etwas Zucker verrührt und an einen warmen Ort gestellt, bis die Masse Blasen wirft.
Dann wird sie mit dem Mehl, der Margarine, dem Salz und dem restlichen Zucker zu einem geschmeidigen Teig geknetet, anschließend ausgerollt.
Die Rosinen werden gewaschen. Wenn Sie abgetropft sind, werden sie mit Rum beträufelt, etwas stehen gelassen, dann auf dem Teig verteilt.
Der Zucker wird mit dem Zimt und dem Kakao gemischt und ebenfalls darauf verteilt. Die Butterflöckchen werden daraufgesetzt und der Teig zu einem Kranz (Kringel) aufgerollt. Der Kringel wird bei 180° C 35 bis 40 Minuten gebacken.

Mein Tip

Der Kringel kann auch mit Nußstückchen oder Mandelflocken zusätzlich gefüllt werden.

Live und locker

Während die letzten Zeilen für »Essen in Hessen« geschrieben werden, packen drei Reporter die Koffer für den Hessentag 1986.
Ankunft im Hotel in Herborn 11.00 Uhr, erster Termin 11.30 Uhr am Sonntag, am Montag gibt es eine Stunde »live« aus der Hessentagsstadt. Die Vorgespräche sind wichtig, denn unsereiner darf vom Gesprächspartner nicht erwarten, daß er die Stoppuhr im Auge behält, deren Zeiger unerbittlich weitertickt. »Limit 3.30« ist ausgegeben, länger als dreieinhalb Minuten darf in Herborn kein Beitrag werden, denn eine Band ist engagiert und die kann nicht wie eine Platte oder ein Musikband dezent ausgeblendet werden.
Im Prinzip geht das technisch schon, doch dann, wenn die Musik durch die Blende verschwindet, muß ja das Reportagemikrofon »aufgemacht« werden. Und das nimmt mit seiner Nierencharakteristik prompt doch wieder die Band und ihre Musik auf.
Vorgespräch. Das Thema erarbeiten, den Interviewpartner beobachten, ein bißchen Psychologe spielen, ehrlich sein. »Sie formulieren sehr lange Sätze, wäre es nicht sinnvoll, kurze, prägnante Antworten zu geben?«
Live soll es sein, locker, informativ, rund. Neunmal live mit Bürgerinnen und Bürgern aus der Herborner Region, die zum ersten Mal auf der Bühne des Radiomobils stehen, es wimmelt voller Technik, dann geht's los. Daß uns selber die Herzen dabei schneller schlagen, wird offen zugegeben.
Eine Wortbrücke zum nächsten Gericht – unmöglich. Es folgt

Kerschemichel

Man nehme:

- 1/3 l Milch
- 6 Brötchen
- 80 g Butter, 4 Eier
- 120 g Zucker
- 1 kg entsteinte Sauerkirschen
- 50 g Butter
- 1 EL Zucker

Die Milch wird erhitzt, die Brötchen damit übergossen, ausgedrückt und von Hand fein zerzupft.
Unter die schaumig gerührte Butter geben wir die Eigelbe, den Zucker, die Brötchenteile und rühren gut durch. Zum Schluß ziehen wir die Kirschen unter und geben das Ganze in eine gefettete, feuerfeste Form.

Nun werden noch Butterflöckchen auf den Michel gesetzt und dann wird dieser mit etwas Zucker bestreut. Nun kann er bei 220° C etwa 1 Stunde gebacken werden. Der Kirschenmichel ist »reif«, wenn er eine schöne, braune Kruste hat.
Dazu gibt's Vanillesoße oder, wenn Kirschen aus dem Glas verwendet werden, den mit ein wenig Stärke gebundenen Kirschsaft.

Wer für sich werben will, kommt auf die tollsten Ideen. Ein wahrer Rezeptrenner im »UiH«-Service war der Bibelkuchen, den wir hier noch einmal abdrucken. Bevor Sie die Zutaten studieren, sei verraten, daß ohne Zuhilfenahme eines alten Testamentes der Bibelkuchen kaum zustande kommt. Wir alle wünschen Ihnen einen besonders guten Appetit bei allen Rezepten, hoffentlich gehabte Kurzweil beim Lesen – und ein allzeit offenes Ohr für »Unterwegs in Essen«, pardon, in »Hessen«.

Bibelkuchen

Man nehme:

1 Pfund Honig
3 TL Backpulver
1,5 Tassen 5. Buch Mose, Kap. 32, Vers 14a
6 Stück Jeremia, Kap. 17, Vers 11
2 Tassen Richter, Kap. 14, Vers 18a
4,5 Tassen 1. Buch Könige, Kap. 5, Vers 2
2 Tassen 1. Buch Samuel, Kap. 30, Vers 12a
0,75 Tassen 1. Brief Korinther, Kap. 3, Vers 2
2 Tassen Proph. Nahum, Kap. 3, Vers 12
1 Tasse 4. Buch Mose, Kap. 17, Vers 23 b
1 Prise 3. Buch Mose, Kap. 2, Vers 13
3–4 Teelöffel Jeremia, Kap. 6, Vers 20

Der Teig wird nach den Sprüchen, Salomos Kap. 23, Vers 14a zubereitet.
Der Teig ist flüssig. Die Backzeit beträgt 1 Stunde und 30 Minuten bei 200° C.
Der Kuchen ist schwer und süß und deshalb eher für die Weihnachtszeit geeignet.

Rezeptverzeichnis

Äppelbreikuche, Ourewäller 114
Arme Ritter 83
Backeskrummbeere 101
Bauernkeeskuchen 88
Bawwetscheskartoffeln 92
Bibelkuchen 118
Bickenbacher Dunksel 26
Bohneneintopf, grüner 54
Brot, Mamas 69
Brotsuppe 50
Buchweizengrütze 89
Bunter Spargelsalat 105
Champagnersorbet 32
Dippehas'-Variante 79
Dippekuchen 38
Dunksel, Bickenbacher 26
Eier-Birnen-Toast 20
Eier in süß-saurer Specksoße 14
Eierkäs' 108
Eiersalat à la Löschrohr 17
Eiersuppe, rheinische 13
Eierwein 23
Erbsensuppe mit Schwemmklößchen 53
Fricco, spanisch 45
Frikadellen mit Kartoffelsalat 36
Frische Spargelsuppe 105
Forellen, gebratene 70
Forellenmousse 71
Gänseappel 93
Gärschtebrei 89
Gebratene Forellen 70
Gehitschel 98
Geschmorte Kalbsbrust à la Mittelhessen 81
Geschmorte Schweinelende mit Backpflaumen 31
Grüner Bohneneintopf 54
Grüne Soße 66
Grünkernknödel 84
Gulaschsuppe 48
Handkäs mit Musik 64
Heidelbeerploatz 78
Hitschelkraut 77
Hochzeitssupp' Ourewäller 80
Honigkuchen 113
Huckefett 38
Hummelhonig 65
Johannisbeerschnitten 65
Kalbsbrust, geschmorte, à la Mittelhessen 81
Kartäuserklöße mit Apfelweinsoße 51
Kartoffelauflauf, oberhessischer 95
Kartoffelbällchen 25
Kartoffelgemüse 103
Kartoffeln »Christiane« 99
Kasseler mit Kartoffelpüree 8
Kastanien, Kronberger 43
Käste-Brüh 43
Kerschemichel 117
Klous 95
Kochkäs' 68
Kräutereier 21
Kringel 116
Kronberger Kastanien 43
Lauchgemüse 82
Lauchkuchen 110
Lauchsalat 41
Löwenzahnsalat 34
Löwenzahnsirup 65
Mamas Brot 69
Nasterhötes 95
Nestklöße 95
Oberhessischer Kartoffelauflauf 95
Omelett mit Kirschen 75
Ourewäller Äppelbreikuche 114
Ourewäller Hochzeitssupp' 80
Pannekuche, Traaser 115
Parmesansuppe 30
Pilzgulasch 85
Pilzsalat 45
Pinkes 38
Räucherlachs auf Toast mit Spargelbutter 104
Rheinische Eiersuppe 13
Ritter, arme 83
Rot-weiß-Salat 42
Salatsuppe aus Oberhessen 47
Sauer-Brüh 72
Scheppklöße 51
Schinken-Kräuter-Hörnchen 112
Schlachtbrühe 50
Schmandkuchen 86
Schmierkuchen 76
Schweinelende, geschmorte, mit Backpflaumen 31
Soße, grüne 66
Spanisch Fricco 45
Spargel mit Orangendressing 106
Spargelsalat, bunter 105
Spargelsuppe, frische 105
Speckkuchen 107
Spinatsalat 46
Tomatensalätchen 31
Traaser Pannekuche 115
Vespertoast 60
Weißkrautsalat mit Speck 44
Zamette 94
Zwiebelkuchen 81
Zwiebelnetz 55

Abkürzungen:		ARD	=	Arbeitsgemeinschaft der öffentlich-rechtlichen Rundfunkanstalten der Bundesrepublik Deutschland
TL	= Teelöffel	AFN	=	American Forces Network
EL	= Eßlöffel	HR	=	Hessischer Rundfunk
Msp.	= Messerspitze	NDR	=	Norddeutscher Rundfunk
		SDR	=	Süddeutscher Rundfunk
		SFB	=	Sender Freies Berlin
		SWF	=	Südwestfunk
		WDR	=	Westdeutscher Rundfunk

Weitere amüsante Geschichten rund ums Kochen finden Sie in dem Bändchen »Was Männer gerne essen – Leibgerichte« (Nr. 2216).

CIP-Kurztitelaufnahme der Deutschen Bibliothek

Witt, Rainer:
Essen in Hessen: Spezialitäten zwischen Schwalm u. Odenwald / Rainer Witt.
– Niedernhausen/Ts.: Falken-Verlag, 1986.
(Falken-Bücherei)
ISBN 3-8068-0837-6

ISBN 3 8068 0837 6

Titelgestaltung: Kreativ Design Gerd Aumann, Wiesbaden-Nordenstadt; Fotomontage: Freilichtmuseum Hessenpark, Neu-Anspach (Fachwerkhäuser), Sirius Bildarchiv-Döbbelin, Künzelsau (Gericht)
Zeichnungen: Luciano Boezio, Gemona, Italien

Satz: LibroSatz, Kriftel bei Frankfurt
Druck: Ebner Ulm

817 2635 4453 6271